監修者――加藤友康／五味文彦／鈴木淳／高埜利彦

［カバー表写真］
高野山壇上伽藍

［カバー裏写真］
伝空海請来金銅密教法具
（教王護国寺）

［扉写真］
弘法大師像
（教王護国寺）

日本史リブレット人 012

空海
日本密教を改革した遍歴行者

Sone Masato
曽根正人

目次

平安新仏教とはなにか

> 宝亀四年……歳末には近かったが、瀬戸の海の小波の打っている四国、讃岐国多度郡、屏風ヶ浦は、まだ雪も見ないし、烈しい風も吹かず、高い波も出ず、中国の便りも都の便りも途切れることなく伝えられていた。

直木賞に名を残す直木三十五の絶筆、『小説 弘法大師物語』の冒頭である。

空海（七七四〜八三五）を描いた小説では、司馬遼太郎『空海の風景』が有名だが、空海を扱った文学作品はほかにも数多い。そしてこれらの多くは、広く敷衍した通説を素材としてきた。だが引用文にみえる生誕地屏風ヶ浦の適否をはじめ、近年さまざまな問題が指摘されている。そして、それは空海の伝記にとどまらず、基盤となる平安初期仏教の理解にまでおよんでいる。空海とその時代の叙

最澄

▼最澄　七六七～八二二。奈良時代後期～平安時代初期の天台宗僧。日本天台宗の開祖。近江国師行表を師として出家。東大寺で受戒後天台教学に傾倒、比叡山籠山修行にはいり、延暦寺の基礎を築いた。ついで入唐して、道邃・行満から天台教学を受法、帰路順暁から密教も受法した。帰国後天台宗を開創するも、宗勢ふるわず。晩年は、南都諸宗と激しく対決しながら、天台宗独自の大乗戒壇独立運動に奔走した。

述は、通説の焼直しでは通用しなくなっているのである。では、その通説とは、いかなるものであろうか。簡単に整理しておこう。

最澄▲と空海は、既存の南都仏教に満足できず、密教(純密)や天台教学という新仏教を求めた。そこに、あらたな国家仏教を求める桓武天皇▲の後押しもあり、彼らの入唐求法が実現する。そして目的の新仏教を持ち帰った二人は、天台教学・密教(純密)・山林修行・地方布教・セクト的宗派性など、旧来なかった要素を備えた平安新仏教を開いた。南都仏教に対する、最澄・空海の宗教的不満と桓武天皇の政治的不満から、天台宗・真言宗という「新仏教」が登場したのである。おおむねこういったところが、通説的理解であろう。

この通説のなかで、もっとも多くの疑問が投げかけられてきたのは、平安新仏教が「新」である所以とされてきた諸要素が、実は奈良仏教にも存在したという問題である。

法門からみていくと、最澄の天台教学は、彼がはじめて請来したものではない。この教学は、天台学匠でもあった鑑真▲が来朝した際に、すでに南都にもたらされている。その後埋もれていたのを、最澄が再発見したのである。

▼**桓武天皇**　七三七〜八〇六。光仁天皇の子。在位七八一〜八〇六。長岡京ついで平安京に遷都。強い専制権力をもって、仏教界に統制を加えて再編成を行う一方、地方行政の監督を強め、また東北地方支配を固めるなど、多方面に国家強化策を推進した。

▼**鑑真**　六八八〜七六三。奈良時代中期の中国人渡来僧で、律学・天台教学の学匠。入唐した栄叡・普照の要請を受け、五回の渡航失敗と失明を押して七五四(天平勝宝六)年来日。日本に正式の比丘(僧侶)戒律を伝え、東大寺に戒壇を創建。また戒律道場として、唐招提寺を創建した。

▼**三密行**　行者の三つの機能(身密・口密・意密)を、仏と一体化させる行法。身(手)に印契を結び、口に真言を唱え、意(心)に尊仏を思い浮かべて、即身成仏をめざす。

空海の密教(純密)についても、同様に問題がある。通説によれば、密教は奈良時代にも存在した。ただ奈良密教は断片的で低級な「雑密」であり、空海が請来した「純密」とはまったく別物だったとする。そして雑密に満足できなかった空海が、純密を請来したことにより、雑密は克服されたとするのである。

だが「雑密」「純密」という二分法は、江戸幕府が、仏教勢力を宗派ごとに分割統治するために、人為的に設定したものである。空海の行動や同時代状況から抽出された概念ではない。現実には、奈良密教でも、純密で両部大教とされる『大日経』『金剛頂経』はすでに流布していたし、研究も行われていた。純密の要件とされる、「三密行▲」を具備した壇法も行われていた。曼荼羅による修法や体系的教義は欠くものの、それ以外の純密要件は、相当程度備えていたのである。

そして空海にしても、雑密に属する経典を唐から多数請来している。帰国後の朝廷へのアピールでも、前面にだしているのは雑密経法である。つまり雑密も、空海密教の不可欠の要素なのである。したがって雑密である奈良密教に不満だったから中国の純密を求めたわけではなく、また純密を請来して雑密である奈良密教にかえようとしたわけでもない。空海の密教は、雑密・純密の区別に関係なく、多くの部分で奈良密教を継承しているのである(阿部二〇〇四)。

最澄の密教が請来直後から注目を集めたように、中国密教に対する朝野の期待は大きかった。ただ奈良密教に対する評価も、もともと高かったのである。それゆえ道鏡▲のように、呪力をもって立身する僧侶もいたし、報恩▲・延鎮▲のように、呪の専門家として有名な官僧もいたのである。つまり最澄・空海の密教への期待は、奈良密教への高評価を継承したものだったのである。平安密教は、内容的にも周囲の認識においても、奈良密教の延長上に形成されたのである。

山林修行についても、同様のことが指摘できる。山林修行は、南都の官僧においても、教学研鑽とならぶ一般的行業であった。拠点も、吉野比蘇寺・室生寺など、すでにいくつか形成されていた(薗田一九八一)。最澄の七八五(延暦四)年の比叡山籠山には同行衆がいたとされるから、比叡山も、そうした拠点の一つだったのである。つまり最澄も空海も、山林修行の開拓者だったわけではない。奈良時代からの南都の伝統を承けて、山林修行を行ったのである。

▼**道鏡**　?〜七七二。奈良時代後期の僧。義淵に法相教学を学ぶ一方、葛城山にはいり呪力を練磨、孝謙太上天皇の病気に効験をあらわした。以後、天皇の寵愛を受けて、天皇に準ずる法皇までのぼり、宇佐八幡宮託宣事件で即位寸前にまでいたった。のち天皇が没すると、まもなく失脚。左遷先の下野薬師寺で没した。

▼**報恩**　?〜七九五。奈良時代後期の山林修行僧。初め興福寺にはいったが、のち吉野山にはいり、生涯山林修行を続けた。観音呪者として知られ、孝謙天皇の病気平癒に効験をあらわしたほか、桓武天皇の病気も平癒させたという。大和子嶋寺を開いたほか、吉野金峰山の土台を築いた。

▼**延鎮**　生没年不詳。平安時代初期の僧。報恩の弟子で、師と同じく観音呪者として知られた。山城東山の音羽山を拠点として修

さらに地方布教についても、同様である。南都の学僧は、『僧尼令』▲に縛られて、平城京の大寺に籠っていたわけではない。盛んに地方に赴いて、布教を行っていた(鈴木一九九四)。だからこそ最澄は、東国において、興福寺出身の法相学匠徳一▲と、三一権実論争▲をたたかわねばならなかったのである。

ちなみに三一権実論争は宗派教義の優劣をめぐる論争だが、こうした宗派対立を背景とする事件は、八世紀後期には頻繁に起こるようになる。空海が生まれた宝亀年間(七七〇〜七八一)には、半世紀前の法相宗と三論宗との教学論争が再燃して、中国仏教界に裁決を求める事態となっている。また平安京遷都まもない延暦末年には、法相宗と三論宗の新人僧侶争奪が問題となっている。当初、学派や学科のような存在だった南都諸宗は、八世紀末には、排他性をおびたセクト的宗派になっていたのである。通説では、こうした宗派性は、天台・真言両宗から始まる現象とされている。だが最澄・空海が登場するころには、南都諸宗も同様の性格をおびていたのである。

もちろん最澄・空海から始まる事象はある。だがそうした新事象が展開する基台部分―天台教学・密教・山林修行・地方布教・セクト的宗派性―は、奈良

行を積み、坂上田村麻呂の助力をえて、当地に清水寺を開いた。

▼**『僧尼令』**　律令の一編目として制定された僧尼基本法。確認されているのは『大宝僧尼令』から。中国の道僧格をモデルとしたが、日本の実情にあわせて改変した部分も多い。僧尼の活動を制限して政府の監督下におこうとする傾向が顕著。

▼**徳一**　生没年不詳。奈良時代後期〜平安時代初期の法相宗僧。初め東大寺(興福寺とも)にはいったが、のち会津に移り、会津恵日寺や筑波山中禅寺など多くの寺を創建、「菩薩」「東国化主」と尊称された。また学匠としても活躍し、最澄や空海と論争や質疑応答を行った。

▼**三一権実論争**　弘仁年間(八一〇〜八二四)、最澄と徳一のあいだで、著書を通じて五年にわたって展開された教理論争。内容は、

『法華経』の一乗の教義を実教（真実）とするか権教（方便）とするかを中心に多岐にわたり、天台教学と法相教学との全面的論争であった。

時代末からすでに存在したのである。密教に関しても、「顕教」と「密教」を対比して優劣を論ずる視方は、空海以前には存在しなかった。即身成仏・法身説法などの教義、曼荼羅・印契・梵語などの多彩な祈禱装置、またそれらを総合した体系的法門も、空海が導入したものである。だがそうした空海密教は、奈良密教も継承しているのである。最澄・空海の仏教と奈良仏教は、通説でいうように断絶してはいないのである。

さらに看過されがちだが、通説の問題点はもう一つある。それは平安初期にあらたに成立したのは天台・真言両宗のみだから、二宗のみを「平安新仏教」と呼ぶのは当然とする理解である。この理解の前提には、最澄・空海が登場する以前に、すでに「奈良旧仏教（南都六宗）」が存在したとの認識がある。これは現在の常識でもあろう。だが後述するように、八世紀段階の南都教学は、とうてい完成された状態ではない。正統教学確立を教学宗派成立の指標とするならば、南都諸宗のそれが確立するのは九世紀初期である。つまり天台・真言両宗の成立と同じ、平安初期ということになる。したがって完成時期をもって呼ぶならば、南都諸宗も同じ「平安新仏教」ということになるわけである。最澄・空海の仏教と奈良仏教は、宗派の成立時期においても重なるのである。

　こうした問題を踏まえて、いま平安初期仏教についての根本的再検討が始まっている。また冒頭でふれたように、空海の伝記における通説にも多くの問題点が指摘され、ここでも再検討が始まっている。本書ではこれらを踏まえて、空海の生涯と時代を照射しなおすことにする。

　なお空海が仏教以外のさまざまな領域で才能を発揮した人物であることは、周知のとおりである。たとえば書や漢詩文(かんしぶん)の才能が、宮廷(きゅうてい)人や僧侶との親密な文化交流をうながし、その生涯に影響をおよぼしていたこともまちがいない。だが空海は、なによりもまず仏教者である。よって、本書が注視するのは仏教者空海であり、照射する時代相も仏教史のそれであることを断わっておく。

①—空海仏教の背景

インド仏教から日本仏教へ

いうまでもなく空海は、日本古代仏教の仏教者である。だが日本仏教は、世界仏教史においては末端に位置する。そうした末端仏教の事象を正確に理解するには、源流からそこにいたる位相を把握しておく必要がある。少し遠回りになるが、インドから話を始めることにする。

仏教は紀元前五世紀、北インドで生まれた。開祖はゴータマ゠ブッダ▲(釈迦牟尼)である。彼の説いた教えは、自己存在の完全消滅(涅槃)を目的としていた。そして、そこにいたる方法として提示されたのは、現世とのつながりを最小限におさえつつ、苦行にも快楽にもかたよらない瞑想によって、自己を含めた全事象の非実在を確認していく作業であった。現世利益や呪術を全否定したわけではないが、ゴータマの仏教は、なによりそうした次元からの離脱をめざす教えだったのである。

ただ、こうした教義を理解し実践するには、明晰な思考・精神集中・強い意

▼**ゴータマ゠ブッダ**　紀元前四六三?〜三八三?。釈迦、釈尊などと称す。仏教の開祖。ヒマラヤ南麓の小部族シャカ族の王子として生まれ、二九歳で出家、三五歳で悟りにいたり、仏教を開いた。当時多く出現した、バラモン教に批判的な新興宗教者の一人。

志を必要とする。それが可能だったのは、ゴータマ在世時もその後も、限られた達人たちだけだった。ゴータマや弟子たちの周囲に集まった信者の多くは、ただゴータマ゠ブッダという超越者に祈りをささげて、現世的不満や不安の解消を求める人びとだったのである。そして大多数を占めるこうした信者に対応した教団経営がなされるうちに、彼らのニーズは教義にも影響していく。本来出世間の教えである仏教が、一般民衆を惹（ひ）きつけやすい、現世利益を前面にだすようになっていくのである。さらに彼らがもっていた外教（げきょう）の神祇（じんぎ）信仰も包摂して、現世利益信仰は、インド仏教の大きな割合を占めるようになる。最終的に一般民衆の仏教信仰は、かつてゴータマが克服しようとしたバラモン教のそれと、さして変わらぬ姿になってしまうのである。インド大陸の仏教は十三世紀に消滅するが、このとき消滅した仏教とは、おおむねそうした宗教だったのである。

こうした民衆仏教と達人仏教の二面をもつインド仏教は、中国をへて日本にいたるまでに、さまざまな障壁に直面しながら大きく変容をとげていく。ことに中国においては、まったく異質の言語・思想・風土という、大きな壁に対峙（たいじ）

することとなった。中国に仏教が伝来したのは紀元零年ごろとされるが、そのころの仏教とは、仏像を伝統的神祇である黄帝・老子とならべてまつるという類であった。要は、「浮屠（ブッダの音写）」という名の異国神信仰であり、高度な思想や教理は、ほとんど受容されていなかったのである。

その後、外国人僧の来朝や経典翻訳によって理解が進み、教義をかなり理解する中国人も出現する。南北朝から隋唐にかけては、インド仏教教学を中国流に翻訳した教学や、あらたな解釈を展開した教学も出現する。ただ、理解が不十分な状況は、払拭されなかった。中国仏教は、インド仏教の忠実な継承をめざしたものの、異質な思考論理や風土的差異の制約によって、結局はなしえなかった。中国仏教は、インド仏教の根源にある思考論理を、完全には継受できなかったのである。そこで、中国的思考論理に翻訳できた部分を用いて、中国人が消化できる内容に、再構成したのが中国仏教なのである。端的にいえば中国仏教は、インド仏教とは別の仏教なのである。

そして、その中国仏教においても、仏教の思想・教理を不完全ながらも理解し、教義に裏づけられた修行を実践した者は、きわめて限られていた。一般民衆は、教理など理解する由もなく、在来神祇と同種の強力な異国神として、仏をまつり祈ったのである。そのため、仏と在来神祇との習合も容易に進行した。南北朝期の『出三蔵記集』『高僧伝』、唐代の『続高僧伝』には、日本古代の神仏習合説話と同種の説話がみえている。日本に伝来したのは、こうした「仏教」だったのである(吉田二〇〇六b)。

その「仏教」は朝鮮半島を経由して、六世紀ごろまでには日本に伝来していた。造寺・造仏は中央豪族社会に広まり、七世紀には、関東以西各地の地方豪族にまで流布する。しかしてその内実は、ただ寺をつくり仏像をおいて、現世の福徳を祈るだけの信仰である。本質的には、在来神祇祭祀と同次元の信仰であった。中国の民衆仏教同様、「仏」という名前の異国神に、現世利益を祈願する信仰だったのである。

この基調は、空海の時代でも変わっていない。そしてこうした古代日本仏教の普通の姿を活写しているのは、空海と同時代に編纂された説話集『日本霊異記』である。次項でみる収録説話からわかるように、当時の人びとの関心は、もっぱら仏教の利益や呪力にあった。「因果応報」思想こそ浸透しつつあるものの、「涅槃」「無我」などの抽象的教義は、彼らに関係のない事柄だったのである。

民衆の信仰

空海が生まれたのは、七七四（宝亀五）年（『続日本後紀』によれば七七三〈宝亀四〉年）とされる。天武天皇の血筋が称徳天皇の死でとだえ、新王統天智天皇系の光仁天皇が即位して四年目になる。それは、井上内親王・他部親王の粛清直後でもあり、まもなく即位する桓武天皇のもとでは、長岡京ついで平安京遷都という大事業が、さまざまな摩擦を生じつつ推進されることになる。また一方では、風雨・病疫などの災害も頻発しており、世情は不安定であった。

こうした時代の、一般の人びとの仏教信仰をうかがえる史料が『日本霊異記』▲である。これは、空海と同時代の薬師寺僧景戒▲が編纂した説話集である。『冥報記』など中国の因果応報説話集にならったものだが、そこには、市井に展開していた仏教の様相が、いきいきと描かれている。空海の時代前後のことと されている説話を中心に、様相を概観してみよう。

もっとも多くみえるのは、下巻四話・七話・一一～一三話・二一～二三話・

▼『日本霊異記』　三巻。編者景戒。八二二（弘仁十三）年ごろ成立の、日本最古の説話集。中国の『冥報記』『般若験記』にならって、奈良時代以前から平安初期にかけての、因果応報にまつわる説話を収録。

▼景戒　生没年不詳。奈良時代後期～平安時代初期の薬師寺僧。『日本霊異記』編者。もと私度僧ともいわれ、妻子のある半俗生活を送っていた。晩年、伝灯住位の僧位を受けた。

千手観音像に群がる老若男女(『粉河寺縁起』部分)

二五話に共通する説話類型である。たとえば下巻一一話は、盲目の女が村里の仏堂の仏像に祈って開眼したという話だが、共通する枠組みは、仏・菩薩やその具象化である仏像・経典に御利益を祈って、現世で善報をえるというものである。祈る対象や受ける善報の種類はさまざまだが、類例はきわめて多い。当時の人びとの、典型的な信仰様態と考えられる。同時にこれは、今日の日本でも仏教信仰の一般的姿である。日本人の基層信仰は、一五〇〇年間変わっていないのである。

この類型の裏返しが、下巻二九話などの説話類型である。下巻二九話は、子どもが戯れにつくった仏像を壊した男が急死の悪報を受ける話だが、枠組みは、三宝や仏教倫理を損なう行為をして、現世で悪報を受けるというものである。このタイプも類例は多く、中巻九話・三二話など寺の財物を流用して悪報を受ける説話、下巻二三話など親孝行や公正取引といった世俗道徳に違背して悪報を受ける説話等々、かなりの数がみえている。

そして、これら『日本霊異記』の仏教信仰には、「涅槃」や「解脱」といった出世間世界への志向やそのための修行といった要素は、まったくみいだせない。さらには、どこが因果応報でどこが仏教なのか、理解しかねる説話もみえている。たとえば、中巻四話・二七話の力持ちの女が悪行をこらしめた話や、下巻三一話の女が石を産んだ話などは、単なる不思議な話にしかみえない。だが『日本霊異記』を編纂した景戒や、原話を生み伝えた人びとにおいては、仏教の霊異譚だったのである。

空海の仏教は、世間・出世間を包摂する壮大な教理体系を誇る。また最澄の天台教学や次項でふれる南都諸宗の教学など、平安初期には精緻で体系的な教学が、仏教界を彩るようになる。だがそうしたエリート学匠たちの仏教は、古代はもちろん日本仏教全体においても、ごく一部の現象だった。彼らとは別世界に住むほとんどの日本人は、『日本霊異記』にみえる現世的で雑駁な仏教世界に生きていたのであり、大多数の貴族も同様だったのである。

「因果応報」を基軸としているものの、本来の教義とは隔たった仏教信仰。儒教道徳・中国民間道教・日本の土俗信仰が、現世利益という大枠のなかで雑然とまじりあった信仰。それが当時の一般的日本人の仏教信仰だった。同時にそれは、来世への恐怖が浸透する以前の中国民衆仏教と同じく、きわめて世俗的かつ楽観的な信仰だった。だが空海の満濃池修築事業▲に集まり、また各地の弘法大師伝説を形成していったのは、こうした信仰の持ち主だったのである。

南都仏教と平安新王朝

奈良仏教において、民衆仏教の対極に位置していたのは南都仏教界である。その南都仏教界を構成する六宗について、通説は、奈良時代後期には、標識(教学)・構成員(僧侶)・拠点(寺院)・祭祀(仏事儀礼)を具備した、中国本家のような教学宗派となっていたと説明してきた。たしかに僧侶や寺院の確保、国家仏事の遂行といった外的要件だけみれば、そうみえるであろう。だが、宗派を宗派たらしめる標識である教学に目を向けると、様相は異なってくる。

教学の実情を、八世紀末の法相宗学匠明一▲と常騰▲の『金光明最勝王経』注疏からうかがってみよう。すると驚いたことに、どちらも中国法相宗第二祖慧沼▲の注疏の切貼りなのである。中国でも、宗祖の著作に全面的に依拠した注釈はあるが、切貼りのみということはあまりない。八世紀末南都最有力宗の教学水準は、テキストの切貼りしかできないレベルだったのである。

▼**満濃池修築事業**　六九ページ参照。

▼**明一**　七二八〜七九八。奈良時代後期の法相宗僧。東大寺慈訓に師事。学匠として知られ、教学書のほか聖徳太子の伝記も著わした。晩年妻帯して、信望を失ったという。

▼**常騰**　七四〇〜八一五。奈良時代後期〜平安時代初期の法相宗僧。興福寺永厳に師事。のちに西大寺に移る。学匠として知られ、法相六祖の一人。近江梵釈寺別当・崇福寺検校を兼務し、晩年は少僧都までのぼった。

▼**慧沼**　六五〇〜七一四。淄州大師と尊称。唐の法相宗僧。初め玄奘、ついで基に師事。基と対立する円測らの法相教学を批判、正統法相教学確立に尽力した。

鑑真が直接正統教学をもたらした律宗においても、とうてい中国の教学水準には達していない。鑑真がともなってきた中国僧法進▲の著作はみえても、日本僧の著作は皆無である。それどころか鑑真の創設した唐招提寺の律学講説も、創設後半世紀でほとんど廃絶という始末であった。日本人律宗僧の教学水準も、法相宗以上にはでなかったと考えられる。

奈良時代以前に比べれば体裁は整ったものの、宗派教学は、まだまだ未確立の状態であった。奈良時代の南都諸宗は、中国本家のような教学宗派とはなっていなかったのである。最澄・空海が満足できなかったのは、こうした南都諸宗だった。かくして彼らは南都諸宗とその教学に見切りをつけ、天台教学や中国密教といった新法門に目を向けていったのである。

もちろん他の南都僧侶とて、現状に安住していたわけではない。だが彼らは、既成宗派教学の外に飛びだすことはしなかった。旧来の枠内で、自宗教学を整備し完成せしめる努力を続けたのである。その結果南都教学が到達した地点は、九世紀後期の三論宗願暁▲の『金光明最勝王経玄枢』からうかがうことができる。ここでは、さまざまな中国学匠の説が比較され、独自の解釈もみえてい

▼**法進** 七〇九〜七七八。奈良時代中期の中国人渡来僧。鑑真に律学・天台教学を学び、ともに来日。鑑真の戒律宣布活動を補佐し、没後は唐招提寺を引き継いだ。

▼**願暁** ?〜八七四年。平安時代前期の三論宗僧。元興寺薬宝・大安寺勤操に師事。のち元興寺に住し、法相教学や密教にも通じた。

る。依拠テキスト丸写しの段階から、正統教学を柱にして諸説を比較対照できる水準に達したのである。

ちなみに正統教学の確立は、八三〇(天長七)年の「天長六本宗書」の法相宗・三論宗の著作からもうかがわれ、南都諸宗が宗派教学を完成したのは、九世紀初期だったとみられる(曾根二〇一〇a)。教学宗派の要件を具備した南都六宗の成立は、天台・真言両宗とほぼ同時期なのである。南都六宗と天台・真言両宗の八宗は、いずれも九世紀初期に、国家仏事と仏教界の担い手として顔を揃えるのである。

こうした奈良仏教と平安初期仏教、最澄・空海の仏教と南都仏教の連続性・同質性を踏まえたとき、変化相として浮上するのが、天智系新王統登場にともなう国家仏教政策の転換である。奈良時代の天武系王統にしても天智系新王統にしても、仏教に求めるのが呪力であることは変わらない。ただ奈良時代は、まださまざまな呪力装置を調達・整備する途上にあった。呪力を追求するにしても、それを担う僧侶供給システムや宗派組織の整備などの土台が、ほとんどできていなかった。そのため仏教界に対しても、まずは中国仏教全般を模倣した、基盤形成が要求されたのである。

　この作業は、教学を除き、奈良時代にほぼ完了する。跡を継いだ天智系新王統の関心は、より直截に呪力に向けられるようになっていた。道鏡を排除して登場したこの王統において、仏教界やその呪力を政権の統制下におくことは重要な案件だったが、呪力への需要自体は低下したわけではない。むしろそうした王統だったからこそ、国家の管理下で、より強力な呪力を導入していくことが求められたのである。

　こうした政策の変化は、当然仏教界にも影響をあたえた。南都諸宗にしても、それに無関心だったわけではない。八世紀後期から九世紀初頭にかけての、南都官僧の山林修行やその拠点創設の活発化は、南都側の対応を表象するものであろう。ただ既存の組織や祭祀の維持・整備を責務としてきた南都が、新王統の新しい要求に即応するのは困難である。朝廷の仏教界に対する期待と南都の対応には、間隙が生じていたのである。若き日の最澄・空海が、呪力と直結する山林修行や遍歴修行を選んだ背景、南都にない新仏教を求めた背景には、こうした時代状況も存在したのである。

②—若き日の空海

佐伯氏と阿刀氏

冒頭に引いた『小説　弘法大師物語』も踏襲していたが、空海の出自について長く通説とされてきたのは、『続日本後紀』卒伝などにみえる次の説である。

生誕地は、現在の善通寺境内にあたる讃岐国多度郡屛風ケ浦。幼名は、真魚あるいは貴物。父は、中央佐伯連(宿禰)氏傘下の擬制同族であった郡司氏族佐伯直氏の田公。母は、中央の名族阿刀氏の女。

このうち幼名の「真魚」は、古い史料にはみえない。また「貴物」は『御遺告』▲にもみえるが、でてくる箇所は伝説的記事の部分である。いずれも、史実は不明というしかない。一方、父方の佐伯直氏と空海の生誕地については、あらたな説がだされている。

まず佐伯直氏についての新説は、この氏族は単なる地方郡司氏族ではなく、海上交易でえた豊かな経済力をもち、住吉津など中央にも拠点を有した一族であるとする。そして、こうした経済力を背景に、中央有力氏族ともつながっ

▼『御遺告』　一巻。『二十五条御遺告』とも。没する一週間ほど前に、空海が弟子への指示をまとめたもの。偽作とする説もある。自伝から始まり、実慧を後継者とした条や東寺に関する諸条のほか、大安寺を本寺とすること、三論・法相教学を兼学することなど、真言宗の諸事にわたる。

ていたとするのである。田公が、中央名族阿刀氏の女を娶(めと)っているのも、こうした背景によるとみるわけである(武内二〇〇六・二〇〇八)。今後、佐伯直氏については、この新説も踏まえて研究が進むことになろう。

一方、生誕地についての新説は、母方氏族阿刀氏の分析から導きだされた、畿内(きない)の住吉津近辺を生誕地とする説である。阿刀氏はもともと河内国(かわちのくに)渋河郡(しぶかわぐん)を本拠とする豪族(ごうぞく)であるが、空海の時代には、平城京(へいじょうきょう)から摂津(せっつ)・山城(やましろ)などにも広がっていた。新説は、空海の母方氏族がどの阿刀氏かを検討し、住吉津に近い河内・摂津の阿刀氏であるとする。そして母の阿刀氏の女も、住吉津に近い、これらいずれかの居住地にいたとする。そのうえで、当時は妻問婚(つまどいこん)が一般的であったから、結婚後も居住地から動かず空海を生んだとみるのである。空海の生まれたのは、住吉津近辺の阿刀氏居住地ということになるわけである(武内二〇〇六・二〇〇八)。

蓋然性としては、説得力のある説である。ただ妻問婚については、当時必ずしも全階層で一般的ではなかったとする説もある。多度郡生誕説を克服できるかは、今後の進展次第であろう。

いずれにしても、空海が、常に都の情報をえて中央進出に積極的な富裕地方豪族の父と、仏教界と関係の深い中央氏族の母という、先進的一家に生まれたことは確かである。最新の知識・情報にふれやすい環境に育ったわけである。こうした環境のためであろう、同族からは、空海十大弟子の実慧・智泉・真雅・道雄、あるいは天台宗の円珍などを輩出している。空海も一五歳になると、外舅阿刀大足に就いて、官人になるための勉学に邁進することになった。そしてその路線に導かれるまま、三年後の七九一(延暦十)年には、平城京にでて大学寮で学ぶ学生となったという。だが、ここで大きな転身がなされる。突然官人出世の道をすてて、仏道修行しかも遍歴修行の道へと踏みだすのである。

明星飛来

この大転換の背景は、『続日本後紀』卒伝や『三教指帰』▲序によれば、次のようなものであった。

一人の沙門が、私に『虚空蔵求聞持法経』という経典を教えてくれた。その経文によれば、この経典の真言を教説どおりに一〇〇万遍誦すれば、仏の

▼『三教指帰』　三巻。別本で真筆が残る『聾瞽指帰』二巻が原型で、空海二四歳の最初の著書。のちに、序と巻末の詩を加えて再編したのが本書。

教えやその意味のすべてを会得できるという。私はこれを信じて、猛烈な修行に身を投じた。

『三教指帰』は、序に、仏教転身を一族から反対された空海が、仏教の大功徳を開示するため著わしたとあり、出家にいたる内面葛藤を物語化した作品とされる。ただ放蕩息子に儒教・道教・仏教を擬人化した人物からおのおのの道を語らせて、仏教優越という結論を導くという筋立ては、中国で流行した形式である。こうした儒道仏三教の優劣論争は、中国では仏教伝来当初からあり、ことに南北朝以降盛行した。空海の時代にも、唐王朝の国教として勢力拡大した道教と仏教のあいだでは、激しい論争が繰り返されていた。『三教指帰』で、日本に実体のない道教が仏教につぐ位置を占めているのは、こうした中国の状況が反映しているからである。ちなみに古代日本には、道士や道教教団が存在しないのはもちろん、「仮名乞児」のような隠遁仏教者も存在しない。『三教指帰』は、もっぱら中国の儒仏・道仏論争の知識によって書かれたのである。空海は知識で構築した三教イメージを使って、観念の世界で、めざす仏教像を示したのである。

空海が、そうした現実にはない仏教を提示したのは、当時、彼の理想とした仏教が存在しなかったからである。つまり空海が理想とした仏教は、現実の民衆の仏教でも、平城京の大寺の仏教でもなかった。しかして、惹かれるものがなかったわけではない。まったくなければ、そもそも出家を思い立たないであろう。空海が惹かれたのは、奈良密教でよく知られた呪法「虚空蔵求聞持法」であり、その修得のため山林・懸崖を遍歴する修行であった。

『虚空蔵求聞持法経』を教えた「沙門」については諸説あるが、いずれにせよ空海が向かったのは、神叡・賢憬・修円・護命・勤操といった南都官僧が教学とならぶ柱としていた、山林・懸崖における密教的修行の世界だった。空海は、彼らの先蹤にならって、大滝嶽や室戸崎での修行に打ち込んだのである。

『三教指帰』序や『御遺告』は、そのようすを次のように記している。

阿波国大滝嶽に攀じのぼり、また土佐国室戸崎にいって念誦するなどの修行(『聾瞽指帰』巻下自注によれば金峯山や石槌山でも修行したとする)を行ううちに、こだまが呪文をもって答え、明星が飛来するといった感応も、体験するようになった。

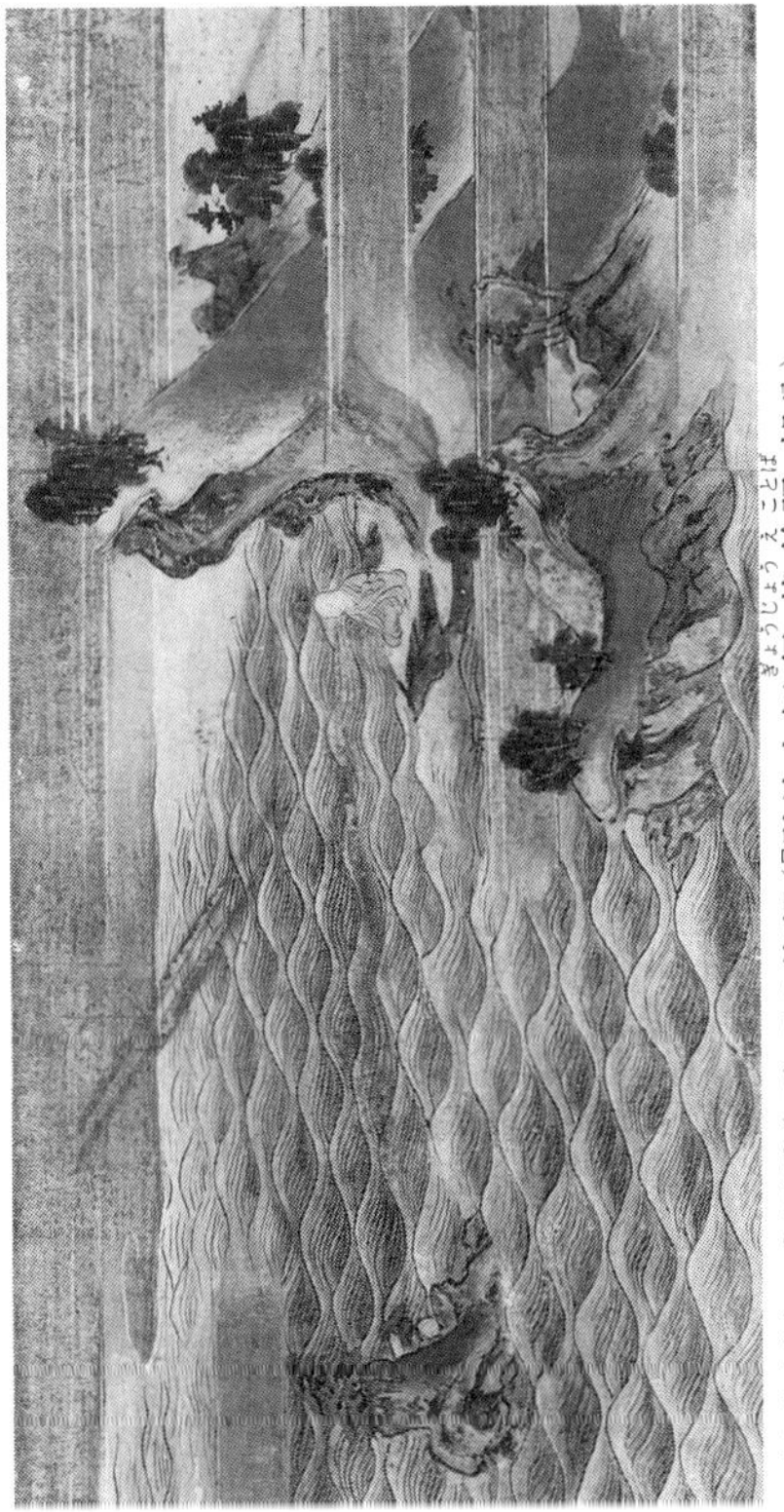

石槌山（上）・室戸崎（下）での修行（『弘法大師行状絵詞』部分）

だが、なにを求めての修行であったのかは、どの史料にも記されていない。出家の契機からするに、呪力獲得が目的の一つであったことはまちがいない。また引用文などから推測するに、超越的体験もその一つだったであろう。ただどちらにしても、窮極の目的だったとは考え難い。むしろ、それをみいだすための修行だったと考えられる。納得のいく目標をみいだせないがゆえに、四国周辺の山海を遍歴する修行は、数年では終らなかったのである。

そして『御遺告』によれば、七九三(延暦十二)年、久米寺における『大日経』感得によって、ついにみずからの目標をみいだしたとされる。通説では、この話は、中国密教との出会いを意味するとされている。これによって空海は、中国密教という終生の目標を自覚する。同時に、求法のための入唐の決意もなされたとするのである。

ちなみに、空海に入唐を決意させた動機については異説もある。それはまず入唐を決意させるほどの、十分な中国密教情報がもたらされていた可能性を否定する。そのうえで入唐の動機を、明星飛来など、修行中の神秘体験の意味解明に求めるのである(武内二〇〇六・二〇〇八)。

たしかに中国密教の情報が、どの程度伝わっていたかはわからない。ただ空海が入唐を志したのは、中国密教に解決の鍵があると考えてのことである。神秘体験の意味であるにせよ、他の疑問であるにせよ、中国密教にこそ答えがあると考えたわけである。だとすると、根拠となるだけの情報がなければ、こうした判断は不可能であろう。顧みるに、空海出家のきっかけとなった『虚空蔵求聞持法経』は、中国密教の先駆者とされ『大日経』の訳者でもある善無畏（ぜんむい）の訳出である。また、さきにみたように南都では、すでに『大日経』『金剛頂経（こんごうちょうぎょう）』が流布していたし、研究も行われていた。最新の不空（ふくう）・恵果（けいか）密教の情報はさておき、中国密教総体については、一定程度の情報は伝わっていたはずである。空海はそうした情報に基づいて、入唐を決意したのである。

みずからのめざすべきところを求めて修行に邁進するなかで、空海は、既存教義では解釈できない神秘体験に出会った。その結果、彼は、さらにめざすべき方向に迷うことになる。模索を続けるなかで、答えをあたえてくれる感触をえたのが中国密教だったのである。空海は、ここに自身の道があることを確信する。かくして入唐求法は、必然的使命となったのである。

長安への道

みずからの道を自覚した空海が、歴史の表舞台にあらわれるのは、八〇四（延暦二十三）年のことである。空海は三一歳、念願の遣唐留学僧となっていた。留学僧とは、修行途上の僧侶で、二〇年間留学する者である。同じ遣唐使で入唐する最澄は三八歳、通訳付きの請益僧である。請益僧とは、すでに国内実績のある僧侶で、遣唐使節と往復を共にして大体一年間留学する者である。待遇にかなり差があるが、両者の経歴・実績からすれば当然である。

最澄も、出家後まもない七八五（延暦四）年から、比叡山での籠山修行にはいっている。ただ一方では、南都に対する天台教学講義を行って成功をおさめており、七九七（延暦十六）年には、内供奉十禅師▲に任ぜられている。入唐段階で、すでに国家仏教の中枢にいたのである。かたや空海は、この時点では、一介の遍歴修行僧にすぎない。さらに空海が受戒して正式の僧侶になったのは、入唐直前（七九五〈延暦十四〉年に東大寺で受戒との説もあるが、現在は八〇三〈同二十二〉年ないし八〇四年とする説が主流）のことである。受戒後の年数によって序列が決まる仏教界においては、まったくの新人といってよい。最澄と比べられるよう

▼**内供奉十禅師**　宮中で天皇の看病や宮廷仏事に従事する、一〇人定員の僧職。七七二（宝亀三）年にはじめておかれ、最澄はこの職にあって、桓武天皇の信任をえた。

な立場ではなかったのである。

そこで逆に問題となるのが、空海が遣唐留学僧に選ばれた理由である。直接言及した史料は存在せず、旧来さまざまな説が提唱されてきた。よく知られた説としては、中国語力を買われて、通訳として選ばれたとする説がある。空海の中国語力は渡唐後すぐに証明されている。加えて、遣唐大使に随行した行動をみるに、大使藤原葛野麻呂の書記的役割を担っていた可能性もある。今なお説得力をもつ説であろう。また十世紀初頭の台密学匠安然▲の『真言宗教時義』を根拠に、薬学生として選ばれたとの説もある(東野二〇〇七)。空海の著作に医薬知識を踏まえた表現がめだつことを勘案すれば、これも考えられる。さらにもう一つ、遍歴修行でつちかった呪力がある程度知られており、入唐して、さらに磨くことを期待されたという可能性もある。

また空海個人の資質以外の要因も、いくつか考えられる。たとえば経済的要因である。入唐には、莫大な費用がかかる。空海の場合は、往復の費用だけでなく、唐での逗留費用や求法活動費用も必要になる。これを支えるのに、豊かな経済力をもつ父方の実家佐伯直氏だったと考えられる。こうした経済的うし

▼**安然** 八四一?～九一五?。平安時代前期の天台宗僧。円仁および遍昭に師事。元慶寺座主をへて、晩年は比叡山五大院を創建。台密を大成して、天台宗を「真言宗(密教宗の意)」と称した。

ろ盾も、空海が選ばれる要因だったかもしれない。また有力氏族の後援を指摘する説もある。空海は帰朝して入京する際、和気氏の高雄山寺にはいっている。またのちに同寺は空海に託されている。和気氏といえば、最澄への援助が有名だが、空海に対しても、早くから後援していたとみるわけである。

以上、いずれも可能性としてはありうる。ただ現状では、これらのどれが主因でどれが副因かも含め、明確な結論はでていない。今後の課題である。

さて最澄・空海の参加した遣唐使は、前年に出帆したものの瀬戸内海で船が大破し、この八〇四年は再挑戦であった。空海は大使の第一船、最澄は副使の第二船に乗ったが、四船のうち唐に着いたのはこの二船のみである。第三船と第四船は、漂流して筑紫に戻っている。第四船は再度挑戦して無事渡唐帰還したが、第三船は結局渡唐できなかった。上田雄氏によると、遣唐使船が最終的に渡唐して帰還する確率は七五％であるという(上田二〇〇六)。このときの遣唐使船の渡唐帰還率も、そのとおりであった。

ただ空海の第一船は嵐にあって南に漂流し、唐国内でも辺境の福州に到着した。遣唐使船など来たことのない土地である。また折悪しく、福州長官は交代したばかりで、新任長官は未着任であった。現地の役人に遣唐使であることを信じてもらえず、一行は拘束されてしまう。そこで空海は、大使にかわって観察使宛の書状を作成、疑いをはらすことに成功している。さらにこののち、一度は長安(ちょうあん)入京メンバーからはずれるのだが、ここでも新任の福州長官宛の嘆願書を提出して、入京を許可されている。彼の中国語力・文章力は、すでに相当の水準だったのである。かくして大使と空海の一行は、その年の暮れに長安に到着する。難波(なにわ)を発してから、半年後のことであった。

③——密教受法

唐代密教の位相

長安では、到着後まもなく徳宗が崩御するなど、落ち着かない二カ月ののち、大使一行は帰国する。残った空海は、日本僧の拠点西明寺にはいり、永忠▲と交代してとどまることとなった。永忠は帰国後僧綱となり大僧都までのぼるが、交流は続いたようで、少僧都辞任の上表を空海が作成するなどしている。のちに空海の大きな資産となる南都人脈は、早くから形成されていたのである。

また西明寺は、八〇〇(貞元十六)年に完成した『貞元新定釈教目録』編者円照▲の所属寺院でもあった。『貞元新定釈教目録』は、七〇年前の『開元釈教録』を補填した一切経目録だが、新加経典のほとんどは密教経典である。そのなかでも、空海が受法する恵果の師不空の訳が、大半を占めている。さらに円照には、不空関係の文章を集めた『不空表制集』の著作もある。彼の拠点である西明寺には、新訳密教経典や不空一門の情報が集まっていたと考えられる。そうした関係からであろうか、当時、西明寺には不空の弟子慧琳▲も止住してい

▼**永忠**　七四三〜八一六。奈良時代後期〜平安時代初期の僧。宝亀初年に入唐、延暦末年に帰国して、近江梵釈寺に住した。斎会の飲食についての提言などを行い、大僧都までのぼった。

▼**円照**　生没年不詳。八世紀後期の中国西明寺僧。律教学に通じ、訳経事業にも多く参加した。晩年金剛智から密教を受法。

▼**慧琳**　七三七〜八二〇。唐の密教僧。幼少時から不空に師事。インド・中国の音韻に通じ、『一切経音義』一〇〇巻を撰述。

た。空海が入寺したころの西明寺は、中国密教の情報センター的存在になっていたのである。

入唐以前の空海が、どの程度中国密教の情報をえていたかはわからない。ただ具体的な求法計画の立案は、西明寺という情報センターに止住したことで、はじめて可能となったと考えられる。密教受法の具体的方針や方法は、西明寺において練られたのである。それでは、ここで空海が目にした仏教は、どのようなものだったのだろうか。

『貞元新定釈教目録』の補塡経典からうかがえるように、九世紀初頭の中国は、密教の最盛期であった。七世紀から八世紀初頭の仏教界を主導した三論宗・法相宗といった宗派は、すでに衰微している。その後、則天武后▲の庇護を受けて勃興した華厳宗も、法脈は保たれていたが、昔日の宗勢はなかった。また最澄が求法目的とした天台宗は、八世紀半ばに湛然▲がでて宗勢を回復する。だが、その湛然も二〇年前に没しており、天台宗も沈滞期にはいっていた。

これら旧来の教学宗派が衰微ないしは沈滞するなかで、興隆をみていたのは、密教と禅宗であった。このうち禅宗は、八世紀に馬祖道一▲があらたな教義と修

▼**則天武后**　六二四〜七〇五。唐王室の皇后で、のち武周王朝の女帝。高宗の皇后となったのち政治的実権を握り、新王朝周を開いて女帝となる。仏教信仰に篤く、国分寺のモデルともいわれる大雲寺を全国に建立、また北宗禅神秀や華厳宗法蔵を後援した。

▼**湛然**　七一一〜七八二。荊渓尊者・妙楽大師と尊称。天台宗第九祖で中興の祖。芳厳・玄朗・曇一に師事。宗祖智顗の著作に多くの注釈をなして、天台教学を宣揚した。

▼**馬祖道一**　七〇九〜七八八。唐の禅宗の一派洪州宗の祖。禅宗第六祖慧能の弟子南嶽懐譲から嗣法し、建陽仏跡巌をはじめ長江南方各地で禅宗を宣揚。ことに洪州開元寺で活躍した。

行を提唱して、宗勢を増していた。ただ、「洪州宗」と呼ばれたことからうかがえるように、活動の中心は、現在の江西省など南方にある。空海の留学した長安で隆盛をみていたのは、もっぱら密教であった。

中国密教は、七一六(開元四)年に長安に来て、『大日経』などの密教経典を訳出した、インド僧善無畏▲から始まるとされる。しかして彼の活動には、灌頂など密教特有の儀礼や祭祀はみられない。周囲から、とくに密教僧と認識されていたようすもない。独自の分野として密教が認知されるのは、三年後に長安に来た金剛智▲からになる。金剛智もインド出身。来唐後は『金剛頂経』などの密教経典を訳出したが、さらに各地で灌頂や密教呪法を行い、密教美術も伝えた。中国人が密教を認知するのは、こうした顕著な特色のある活動をみてのちのことであった。そしてこの金剛智の弟子が、空海が師事した恵果の師不空(七〇五～七七四)である。

不空は西域出身。七二〇(開元八)年、来唐まもない金剛智のもとで出家し弟子となった。七四一(開元二十九)年、金剛智が没すると、七四三(天宝二)年から三年間インド・スリランカに留学。普賢▲から最新の密教を受法するとともに、

▼善無畏　六三七～七三五。本名シュバカラシンハ。インド出身の中国渡来密教僧。ナーランダー寺で、ダルマグプタに密教を学ぶ。七一六年、師の命により長安にいたり、勅命により多くの密教経典を翻訳。

▼金剛智　六六九～七四一。本名ヴァジラボーディ。インド出身の中国渡来密教僧で中国密教の祖。ナーランダー寺はじめ各地で大小乗経論を学び、南インドでナーガボーディに密教を学ぶ。七二〇年洛陽にいたり、多くの密教経典を翻訳。

▼普賢　生没年不詳。八世紀南インドの密教僧。不空がインド留学した際、密教を授けた師。金剛智の師ナーガボーディと同一人物とも、また架空の人物ともいわれる。

多数の密教経典を持ち帰った。その後、安禄山の乱▲をはさんで、玄宗・粛宗・代宗の三代皇帝に重用され、玄宗はじめ数千人に灌頂を授けたほか、宮中内道場において皇帝護持や護国の修法を何度も行った。また『金剛頂経』系の重要密教経典をはじめ、一〇〇巻以上の経典を訳出。さらに五台山に金閣寺を創建して、当地の文殊信仰を鼓舞するなど、多岐にわたって精力的活動を展開した。こうした不空の活躍により、中国密教はおおいに隆盛することとなる。国家仏教に不動の地位を確立するとともに、上層階級を中心に、中国人社会に浸透するのである。

不空一代で密教が浸透したのは、一般には次の二つの理由によるとされている。すなわち第一には、最新の強力な呪力装置としての密教のアピールが、内乱期の呪力需要に適合したこと。そして第二には、内道場での修法などを通じて形成された権力とのつながりが、政治的うしろ盾になったことである。

そして近年指摘されている理由が、もう一つある。それは、インド密教を中国の実情に適合させたことである。たとえば、本来密教の目的は成仏である。だが不空は、唐代中国人の好む信仰—造仏・写経・布施など目にみえる功徳を

▼**安禄山の乱**　安史の乱とも。唐の七五五年に起こった反乱。節度使安禄山と将軍史思明が起こしたもので、一時、玄宗は長安から避難する事態となった。反乱は九年間にわたり、これを境に、唐は衰退に向かった。

不空

積むことで具体的利益を期待する信仰―にあわせて、さまざまな加工を行った。具体的利益を謳った修法メニューや、視角的にアピールする儀礼の充実と喧伝がそれである。経典訳出においても、原典にはない国王守護や親孝行推奨の文言を挿入するなど、中国の実情にあわせた変更を加えている。また護国行業においても、国家的規模の仏事は旧来諸宗の護国経読経などにまかせ、皇帝周辺や自身の活動拠点の仏事だけを密教修法で押さえるという、現実的方策をとっている。すなわち不空は、インド密教を唐代中国にあわせて加工し、独自の密教を大成したのである(正木二〇〇八)。そしてこうした彼の密教は、伝来当初から中国仏教に求められてきた呪力を、強力に発動する装置でもあった。こうした不空密教自体の特性も、中国社会に浸透した大きな理由だったのである。

ちなみに不空密教はじめ唐代密教について、日本仏教にもかかわる問題として、指摘しておくべきことがある。それは唐代密教の門流は、独立した教学宗派とは認識されていないことである。さきの『貞元新定釈教目録』において、密教経典は独立した部門におさめられていない。「般若部」「大集部」「五大部外諸経」といった諸部門に、散在しておさめられている。つまり密教教学は、法相・華厳・天台教学のような、独自の教学分野を構成する法門とされてはいないのである。不空一門は、多彩な修法と強力な呪力をもって知られていた。だが法相宗・華厳宗・天台宗のような教学宗派とは、みなされていなかったのである。

恵果の密教

空海の師恵果(七四六〜八〇五)は、一〇歳前後で不空の弟子となり、不空没時には二九歳だった。このときの筆頭弟子は慧朗▲だったが、慧朗は四年後に早逝し、最終的に恵果が法脈を継ぐ形となったのである。そして恵果の路線も、基本的には不空と変わっていない。皇帝代宗の信頼を受けて密教道場の管理を行うとともに、頻繁に護国や祈雨の修法を行って効験をあらわし、勢力を維持していた。ただ大きく異なるのは、不空の密教がもっぱら『金剛頂経』系(金剛界法)のそれだったのに対し、恵果は善無畏—玄超▲の法脈から『大日経』系(胎蔵法)の密教も承けて、双方を対等に位置づけていたことである。

『大日経』は、七世紀中ごろ東インドのオリッサ州(西インド・中インドとも)の

▼**慧朗**　生没年不詳。八世紀後期の中国密教僧。不空の筆頭弟子で、崇福寺に住した。七七七年の不空三周忌には千僧斎を挙行し、翌年には大興善寺上座にのぼったが、まもなく没。

▼**玄超**　生没年不詳。八世紀中期の中国密教僧。善無畏の弟子で保寿寺に住し、恵果に胎蔵・蘇悉地・諸尊瑜伽の法を伝授した。

恵果

成立とされる。空海が目にしていたテキストは、七二四(開元十二)年善無畏訳『大毘盧舎那成仏神変加持経』七巻である。その教説は、説主を真理そのものである法身大日如来としたうえで、その真実最高の智恵として「三句の法門」を説く。すなわち、悟りの心を原因とし、無限の慈悲を根本とし、さまざまな方便を究極とする智恵である。

この教説を視覚化したのが、胎蔵界曼荼羅である。胎蔵界曼荼羅は、中心に法身大日如来がすえられ、そこから生類すべてを包摂しながら周縁に向かって広がる構造になっている。これは、現実世界の実相を表現したものといわれる。すなわち、大日如来から外縁の生類まで展開し、また逆方向に収斂するという動的なあり様と、そのすべてが平等であるという本質的なあり様とを表象しているのである。

一方の『金剛頂経』は、七世紀末〜八世紀初頭、南インドの成立とされる。そして成立直後から本経は、インド仏教界を席巻する。以後、南アジアの仏教は、ながらく本経系統経典の影響下におかれるのである。まさにインド仏教史の最後をかざる重要経典であった。それゆえ不空は、もっぱら『金剛頂経』を主軸とした密教を展開したのであり、空海が目にしていた漢訳テキストも、不空訳『金剛頂一切如来真実摂大乗現証大教王経』三巻である。その教説は、言葉によらない象徴主義が極端に進んでいるが、説かれているのは、やはり法身大日如来の仏智をえる方法である。「五相成身観」と呼ばれるその方法は、段階に応じた真言を唱えながら、相応する観想を行って、最終的に自身と大日如来が心身ともに同一であることを了解する、というものである。これは長期の修行を積まなくとも、「五相成身観」によって自身がそのまま大日如来であることを了解すれば、一瞬にして大日如来となるという教説である。つまりは、即身成仏を説いているのである。

こうした教説を視覚化して、世界のあるべき姿を表現したのが金剛界曼荼羅である。金剛界曼荼羅は、礼拝対象である胎蔵界曼荼羅とは異なり、行者自身がなかにはいって仏と一体化するための視覚装置である。その種類は数十種あるとされるが、空海が伝えた、全体を九区画に等分する曼荼羅は「九会曼荼羅」という。この「九会曼荼羅」は、金剛界曼荼羅の一般的な形ではないとされ、恵果が不空の弟子のなかで独自性をアピールするために創作したものといわれる。

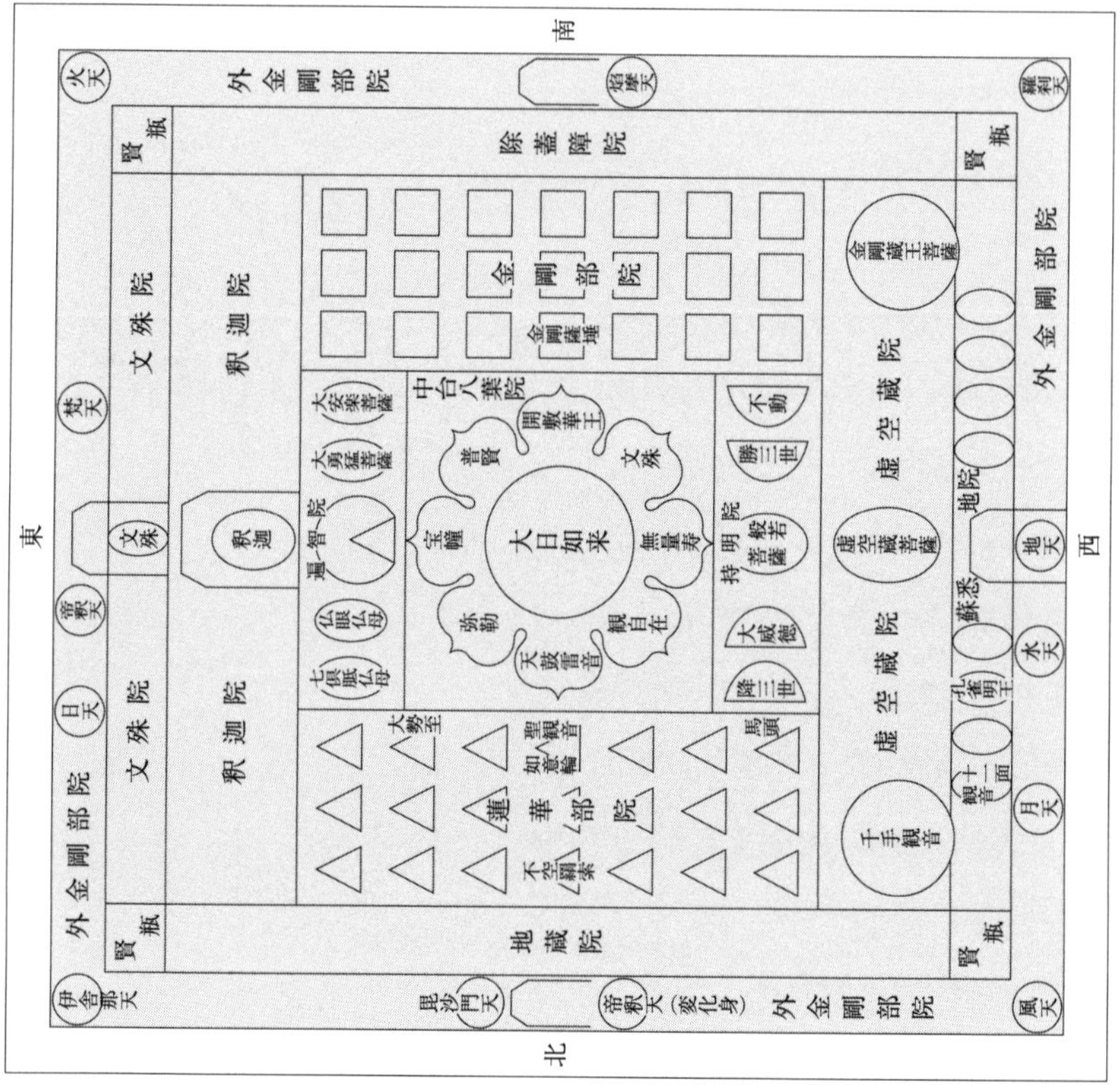
東
西
南
北
外金剛部院
文殊院
釈迦院
除蓋障院
地蔵院
虚空蔵院
金剛部院
蓮華部院
中台八葉院
遍知院
持明院
大日如来
宝幢
開敷華王
無量寿
天鼓雷音
普賢
文殊
観自在
弥勒
不動
降三世
大威徳
般若菩薩
勝三世
七倶胝仏母
仏眼仏母
大勇猛菩薩
大安楽菩薩
釈迦
文殊
千手観音
虚空蔵菩薩
金剛蔵王菩薩
十一面観音
孔雀明王
蘇悉地院
金剛薩埵
不空羂索
如意輪
聖観音
大勢至
馬頭
賢瓶
火天
焔摩天
羅刹天
風天
月天
水天
地天
伊舎那天
梵天
帝釈天
日天
毘沙門天
帝釈天（変化身）

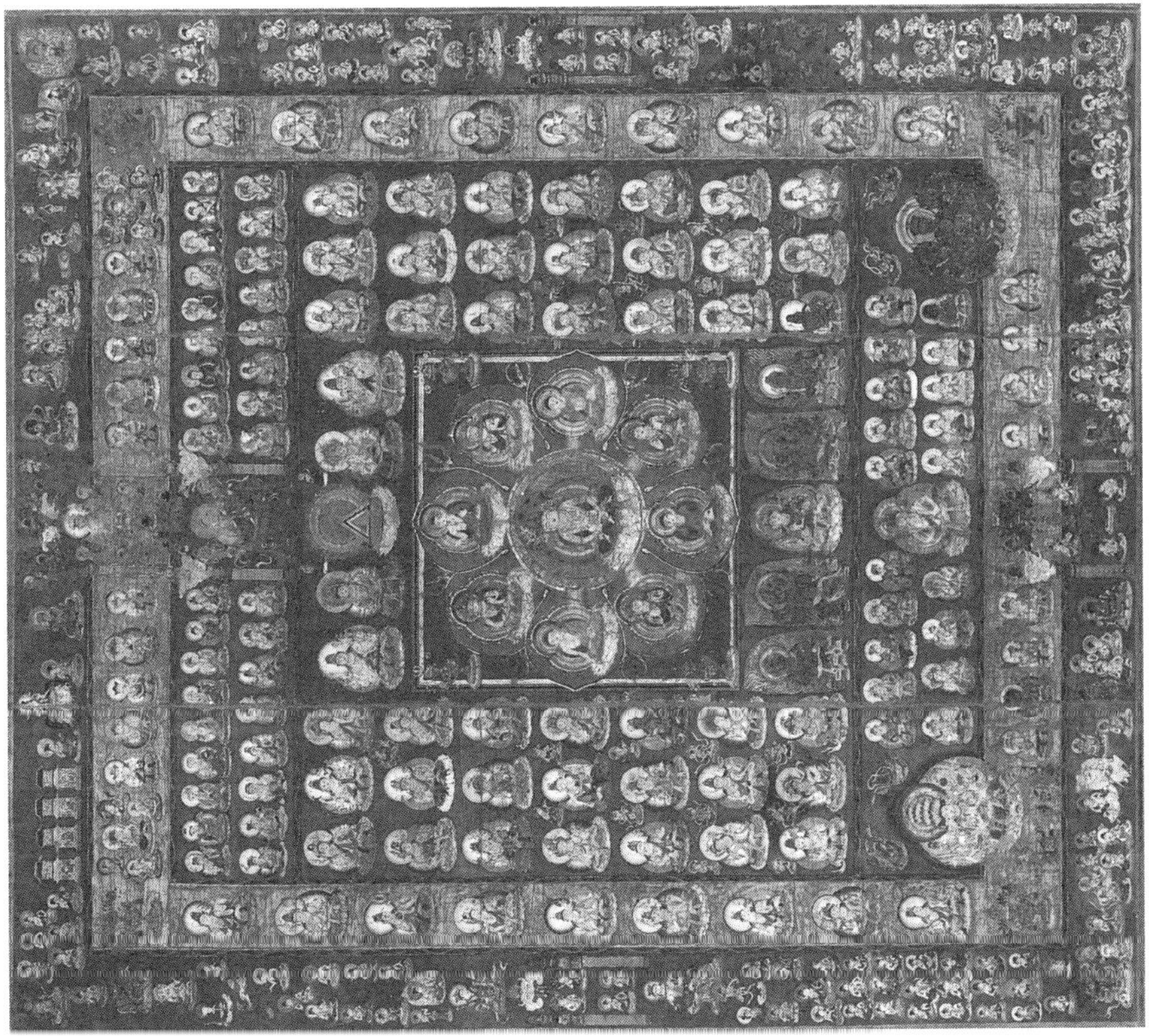

胎蔵界曼荼羅（教王護国寺）と図解（右図，『弘法大師と密教美術展図録』による）

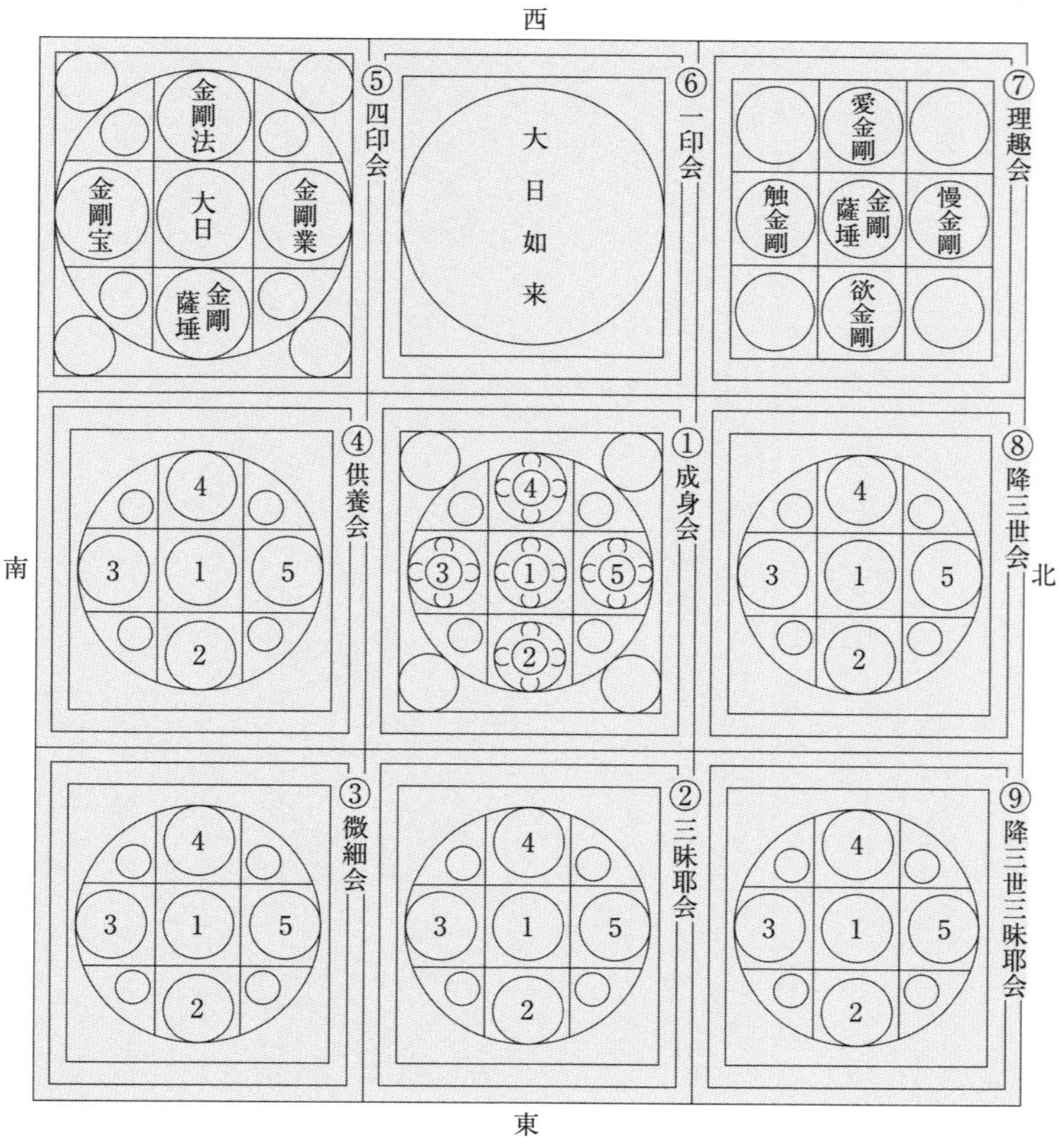

1＝大日如来（中央円）　四方親近菩薩（四波羅蜜）
2＝阿閦如来（東方円）　四方親近菩薩
3＝宝生如来（南方円）　四方親近菩薩
4＝無量寿如来（西方円）　四方親近菩薩
5＝不空成就如来（北方円）　四方親近菩薩

金剛界曼荼羅（教王護国寺）と図解（右図，石田尚豊『曼荼羅のみかた』による）

とはいえ金剛界曼荼羅の基本型は踏まえており、仏と一体化する観想―「九会曼荼羅」では、右下の区画「降三世三昧耶会」から反時計回りに渦をまいて中央区画「成身会」にいたる、凡夫が大日如来の境地に向かう観想と、成仏した者が衆生救済に向かう逆順の観想―を想定しているのは「九会曼荼羅」も同じである。

以上二系統のうち、先行した『大日経』系密教は、『金剛頂経』の登場後は思想的に不徹底とされ、インド・チベットでは衰えてしまう。不空がもっぱら『金剛頂経』を重視したのは、こうした潮流を承けたものであり、多くの不空の弟子も同様であった。そうした一門の出身ながら恵果は、『金剛頂経』系密教と『大日経』系密教を対等の仏智世界として対にした、「両部」の教義―曼荼羅としては両界曼荼羅―を創出した。これは不空一門でも密教全体でも、特異な教義であった。

ちなみに不空没時に後継者とされたのは、恵果ではなく慧朗である。彼が存命していれば、空海の師は慧朗になっていた可能性は高い。内容も、『金剛頂経』系密教中心のものになっていたであろう。だが慧朗は若くしてなくなる。空海入唐当時の長安密教界は、恵果一人が不空の後継者として担っていた。そうした時期に空海は、多くの密教情報が集まる西明寺に止住することとなったのである。めぐまれた環境を活用して求法活動を展開した空海は、早々に恵果そして「両部」という独自の密教に行き着くのである。

阿闍梨空海

空海入唐前後に西明寺に止住していた学匠のうち、円照は没年に諸説あり、空海があっていたかは不明である。だが慧琳がいたことは確実であり、空海もあっていたはずである。慧琳は西域サマルカンド出身、不空に密教を学ぶ一方で、声明▲・儒教・漢語古訓にも通じた学匠であった。彼の仲介により空海は、国際都市長安なればこそ出会えた学問を学ぶことになる。その学問とは、梵語とインド哲学であり、師匠は、醴泉寺のインド僧般若▲と牟尼室利▲であった。なかでも般若は、空海が恵果とならぶ師とあおぐことになる。そして、密教受法の前にこうした関係諸学を学んだことは、のちの受法自体にも影響してくるのである。

密教は、インド仏教史の最後に位置するが、旧来仏教に比べて、インド固有

▼**声明**　梵語の言語・文字・音韻・文法に関する学問。日本では、仏前で供する声楽（梵唄）のこともさす。

▼**般若**　生没年不詳。本名プラジニャー。北インド出身の中国渡来訳経僧。ナーランダー寺はじめインド各地をたずね、瑜伽唯識を学ぶ。七八二年長安にいたり、『四十巻華厳経』を訳出したほか、密教経典を含む多数を訳出。

▼**牟尼室利**　?〜八〇六。北インド出身の中国渡来訳経僧。ナーランダー寺で学び、八〇〇年長安興善寺にはいる。のち醴泉寺に移り、また慈恩寺での訳経に従事した。

の宗教・思想・言語の影響を格段に強く受けている。そのため、密教は仏教ではないとする研究者もいるほどである。逆にいえば、密教で大きな部分を占めるインド思想や言語の知識は、密教理解の貴重な補助となる。それらを最初に学んだことは、恵果からの受法が円滑になされるために、大きな助力となったはずである。空海自身、この時点で何年間の在唐を予測していたかわからない。ただ結果からすると、彼の求法活動は、きわめて堅実な手順で進められたのである。

　また、こうした準備作業は、恵果との出会いにも利するところ大であった。『御請来目録』▲によれば、空海は「名徳を訪問する」なかで、偶然青龍寺恵果と出会ったとする。だがそこにいたるには、般若三蔵や同じ醴泉寺にいた恵果の弟子義智からえた情報が、重要な役割を果たしたはずである。また初対面の際、恵果は、「私は、さきにあなたのくるのを知って、ずっと心待ちにしていた」と述べたという。恵果も、空海に接した人びとを通じて、その情報をえていたのである。入唐翌年の八〇五(永貞元)年五月ごろの青龍寺訪問は、こうした下地の上になされたのである。

▼『御請来目録』　一巻。空海が帰国後、遣唐判官高階遠成に託して朝廷に提出した報告書。請来した典籍二一六部四六一巻、曼荼羅など図像一〇鋪、法具九種、付嘱物一三種などを列挙し、上表文を付したもの。

『御請来目録』によれば、このとき恵果は、対面早々、次のように呼びかけたという。

寿命がつきようとしているのに、私の密教を託すのにふさわしい人材がいなかった(あなた空海が、その人材だ)。早速仏に献ずる香花をもって、灌頂壇にはいりなさい。

時に恵果は六〇歳、逝去半年前の出会いであった。なお引用文のいう後継人材不足だが、一門内ではすでに数人の弟子が受法している。ただ、空海と同時期に青龍寺で学んでいた義智・義操らは、結局受法していない。この時期の青龍寺の状況を反映した発言だったのであろう。

かくして恵果は、早急に空海への授法を開始する。初対面早々に、密教戒である三昧耶戒を授け、まもなく受法弟子として入門するための学法灌頂を授ける。ついで六月には胎蔵法、七月には金剛界法の学法灌頂を授け、そして早くも八月には、密教師匠たる阿闍梨位を授与する伝法灌頂を授けて、灌頂名「遍照金剛」をあたえるのである。わずか三カ月での両部大法の授与であった。

ついで、密教には図画が不可欠という恵果の指示で、空海は現図曼荼羅・法曼荼羅・祖師影像などを図絵せしめ、さらに密教経典三〇〇余巻の書写や密教法具の調達を行った。一方恵果も、金剛智―不空―恵果と伝わった仏舎利など八種の付嘱物や、自身の衣鉢五種をあたえている。ここに法・画像・経典・仏具という、密教を伝えるすべての用意を整えた阿闍梨空海に、恵果は次のように遺言したという。

最期も近い時期にあなたが来たので、密教伝授完了まで寿命がもつか心配したが、すでにすべての法を伝授した。経像も用意しおえた。かくなるうえは、早く日本に帰って、密教をもって国家に奉仕し、さらに国内に広めて人びとの幸福増進をはかりなさい。……弟子の義明▲は、中国で密教を伝えていく。あなたは日本に伝えなさい。

恵果の弟子は、道俗あわせて一〇〇〇人を超える。だが伝法灌頂を受けた弟子は、多くはない。一般的には、両部を受けたのは義明と空海の二人とされ、ほかには弁弘▲・恵日▲が『大日経』系の胎蔵法を、惟上▲・義円▲が『金剛頂経』系の金剛界法を受けたのみとされる。史料によって差異はあるが、両部伝授は、限られた高弟のみに許された秘伝であった。この両部伝授を、入唐してまもない

▼**義明**　生没年不詳。八世紀後期の中国密教僧。恵果の筆頭弟子で、七八一年、胎蔵・蘇悉地などの経論を授かる。また内供奉にも任じた。弁弘・恵日・惟上・義円・空海とあわせて、恵果の六大弟子とされる。

▼**弁弘**　生没年不詳。八世紀後期、ジャワ出身の中国渡来密教僧。恵果の高弟。インド求法をへて、七八〇年青龍寺にはいる。のち汴州にいたり、密教を広めた。

▼**恵日**　生没年不詳。八世紀後期の新羅密教僧。恵果の高弟。七八一年唐にはいり、恵果から胎蔵・金剛界・蘇悉地・諸尊瑜伽などの法を受法したとも伝える。その後帰国し、新羅で密教を広めた。

▼**惟上**　生没年不詳。惟尚とも。八世紀後期〜九世紀初期の中国密教僧。恵果の高弟で、両部を受法したとも伝える。

留学生空海が、わずか三カ月で受けられた理由はよくわからない。すべてを空海の天才に帰するのはたやすいが、それでは問題は解決しない。空海と恵果と、それぞれに理由があったはずだが、現時点では不明とせざるをえない。ただ翌年の恵果の葬儀で、空海は弟子を代表して碑文を撰している。一門における高い評価をうかがわせるものである。彼の密教理解や漢文能力が理由の一つであることは、まちがいなかろう。

　そして受法の四カ月後、恵果は没する。空海への授法で、すべての勤めをおえたかにみえる最期であった。師がいなくなった中国に、空海がとどまる理由はなかった。阿闍梨空海は、遺言どおり早急な帰国を決意するのである。

　恵果の葬儀は、翌年の八〇六(元和元)年に行われた。そして同じころ、遣唐判官高階遠成の一行が長安に到着する。すでに帰国を決意していた空海は、早速に帰国を申請。長安と越州で請来経論を補充蒐集したのち、八月に明州から出港。十月ごろには、九州に到着した。出国時の桓武天皇は半年前に没し、元号は大同にかわっていた。

　ちなみに空海帰国後の中国密教だが、『蘇悉地経』系・仏頂系などあらたな要

▼**義円**　生没年不詳。八世紀後期の中国密教僧。恵果の高弟で、恵果から金剛界法を受法したのち、再度、義操からも受法したと伝える。

素を加えて展開する。ただ、勢威はしだいに衰えていった。それでも十二世紀ごろまでは存続したが、最後に残ったのは『金剛頂経』系密教であり、「両部」密教ではなかった。恵果独自の「両部」密教は、空海の法脈のみで保持されていったのである。

④—最澄と空海

最澄の活躍

空海と同じ遣唐使で入唐したものの、還学生であった最澄は、一年前の八〇五(延暦二十四)年六月に帰国していた。その最澄は、天台山国清寺で天台教学を受けた帰途、越州龍興寺で順暁▲から密教を受法していた。

順暁は、善無畏門下義林▲の弟子で、一行▲・不空からも法を受けたという。ただ、本場長安密教の第一人者で不空の後継者たる恵果と比べると、やや見劣りがする。受法が帰途の短期間になされたことからすると、受けた内容も、恵果の指示にそって全課程を修了した空海と同等とはみなしがたい。また最澄が受けたのは三部三昧耶灌頂といわれ、胎蔵界と金剛界を交雑させたようなものだったようだが、両界を明確に区別したうえで相対させた恵果の密教に比べると、未整備の観がある。そして最澄『越州録』▲と空海『御請来目録』を比べればわかるように、請来した密教典籍・図画・法具も、空海のそれに比べて明らかに貧弱である。空海の帰国後、『御請来目録』をみた最澄は、この差を痛感し

▼**順暁**　生没年不詳。八世紀後期〜九世紀初期の中国密教僧。義林から密教を受法し、泰山霊巌寺に住した。のち鎮国道場大徳阿闍梨・内供奉となり、越州龍興寺に移った。

▼**義林**　七〇三〜?。八世紀後期の新羅密教僧。善無畏から胎蔵法を受法。八〇五年ごろ、新羅保寿寺で密教を広めた。

▼**一行**　六七三〜七二七。七世紀後期〜八世紀前期の中国密教僧。初め禅法・律学・天台教学を学ぶ。善無畏が来朝すると弟子となり、胎蔵法・金剛界法を受法。善無畏の『大日経』訳場に侍して師の口説を記録し、『大日経疏』を製した。

▼**『越州録』**　最澄が八〇五(延暦二十四)年の帰国後、朝廷に提出した報告『伝教大師将来目録』のうち、越州で収集した請来物の目録。密教関係中心の典籍一〇二部一一五巻と、法具五種七口を載せる。

て、空海密教修得に全力をそそぐのである。

ただ最澄の帰国時点では、中国新密教を持する者は彼のみである。新密教の専門家として扱われたのは、当然の成り行きであった。また朝廷としても、本来天台教学の受法が最澄の入唐目的とはいえ、教学は直接呪力を発揮しない。奈良密教の呪力を高く評価していた朝廷が、新密教のほうを重視するのは当然である。ましてや最澄のもたらしたのは、最先端の中国密教である。最澄の思惑はともかく、天台教学に比べてはるかに大きな注目を集めたのは、やむをえない結果であった。かくして帰国後の最澄は、もっぱら新密教の第一人者として重用され、呪力発揮を期待されることとなったのである。

そしてこのとき、桓武天皇は重病にかかっていた。最澄の密教には、まず病気平癒の期待がかけられることになった。かくして帰国三カ月後には、天皇の命を受け、高雄山寺において、天皇の身がわりである修円・勤操をはじめ南都高僧八人に灌頂を授けている。直後、宮中において毘盧遮那法を修し、また平安京西郊に南都高僧一〇人の参加をえて、天皇のための灌頂秘法も行っている。桓武天皇は翌年に没するが、これらの修法は、一時的には効験を発揮したらしい。その実績を背景に、翌八〇六(大同元)年正月、南都の四宗(六宗のうち法相宗・三論宗に付属する倶舎宗・成実宗を除く)に天台宗を加えた、当時の全宗派をカバーする年分度者▲制を提案して許可される。天台宗の公認であった。

この年分度者制は、天台宗においても重要な意味をもったが、日本仏教界全体にも、大きな影響をあたえることになる。年分度者制自体は以前からあり、法相宗と三論宗については、八〇三(延暦二十二)年に、各五人の年分度者が認められている。だが、それは両宗の得度者争奪という事態への一時的処方であり、仏教界全体の長期的枠組みとなる年分度者制は存在しなかった。対するに八〇六年のそれは、既存宗派のみを構成単位として全僧侶を再生産していくという、仏教界の基本枠を規定した制度である。これによって仏教界は、宗派を基軸単位とする、中世まで貫流する枠組みを獲得する。すべての官僧に、まもなく加わる真言宗を含む、八宗いずれかの宗僧であるという顕密仏教の基本形、その制度的よりどころが創出されたのである。そして仏教界においてこの制度は、既存の国家仏教体制の正統性を保証する根拠と認識されるようになる。法然を批判した貞慶▲の『興福寺奏状』からうかがえるように、中世初期にも、この

▼年分度者　単に年分、あるいは年料度者とも。毎年の定数枠が決められている得度者のこと。これ以外の得度者は臨時度者。制度は六九六(持統十)年からみられるが、奈良時代の実態は不明。

▼貞慶　一一五五〜一二一三。平安時代末期〜鎌倉時代初期の法相宗僧。興福寺にはいり、叔父覚憲に法相教学・律学を学ぶ。早くから学名高かったが、一一九三(建久四)年、笠置寺に隠棲、以後弥勒信仰宣揚と戒律復興に尽力した。

▼平城天皇　七七四〜八二四。在位八〇六〜八〇九。桓武天皇の第一皇子。在位中は、観察使創設などの改革を実施。退位後は、平城京にあって嵯峨天皇の朝政に干渉。八一〇(弘仁元)年、挙兵して再度即位をはかるも、失敗して出家(平城太上天皇の変)。

▼伊予親王事件　八〇七(大同二)年、陰謀により、桓武天皇の皇子伊予親王が謀反の嫌疑で逮捕され、母藤原吉子とともに服毒自殺した事件。八一九(弘仁十)年には、親王らの名誉回復がなされた。

▼嵯峨天皇　七八六〜八四二。在位八〇九〜八二三。桓武天皇の子で、平城天皇の弟。平城太上天皇の変を乗りきって、安定政権を樹立。以後蔵人・検非違使創設、『弘仁格式』編纂などの改革を行った。三筆の一人で、空海とは書や詩文を通じて交流があった。

認識は不動だったのである(曾根二〇〇〇)。

八〇六年の年分度者制は、このように仏教界全体に長期的影響をおよぼす制度であったが、密教をめぐる最澄・空海の活動にも大きな影響をあたえた。なかでも問題となるのは、止観業(天台教学専攻)とならぶ天台業の柱に立てられた、遮那業(密教専攻)の存在である。空海が帰朝していないこの時点で、密教を天台業として立てるのは当然である。だが、これからみる空海の活躍にもかかわらず、真言業年分度者が認可されて真言宗が公認されるのは、三〇年後の八三五(承和二)年のことである。この間、密教を担う宗派は、制度的には天台宗遮那業のみだった。仏教界における密教第一人者も、当初しばらくは最澄だったのである。帰国後の空海の活動は、こうした状況のもとで始められたのである。

交流の始まり

帰国した空海は、三年間筑紫にとどめおかれる。その主たる理由は、二〇年間留学予定の留学生身分でありながら、わずか二年で帰国したことであろう。

帰国後まもなく朝廷に進上した『御請来目録』上表文で、

　二〇年を待たずに帰国したことは重い罪であるが、一方で、稀有の法門を

　請来できたことを、ひそかに喜んでいる。

と弁明しているが、朝廷においても、そう簡単には許されなかったのであろう。また、この年即位した平城天皇▲は、そもそも仏教に積極的関心をもたなかった。さらに即位二年目に、異母弟伊予親王が謀反の罪で罰せられる事件▲が起こるが、空海の外舅阿刀大足は、以前伊予親王の侍講をつとめていた。これが影響したとの説もある。そして入京できたのは、平城天皇が病気で退位し、嵯峨天皇▲が即位した八〇九(大同四)年のことであった。

上京した空海がはいったのは、最澄が日本最初の灌頂を行った高雄山寺である。高雄山寺は、入唐以前からの最澄の後援者和気広世▲・真綱▲の領する寺だったが、当時、新来法門を公開する施設という役割も担っていた。空海も、最澄の先例に従って本寺にはいり、以後一〇年以上、この寺を拠点として真言密教宣布活動を展開することになる。そして和気氏は、空海が高雄山寺を離れてからも後援を続けたらしい。のちに高雄山寺は、和気真綱・仲世▲から空海に付嘱

▼**和気広世**　生没年不詳。和気清麻呂の子。文章生から大学頭・式部大輔・左中弁を歴任。清麻呂の遺志により、和気氏の大学別曹弘文院を創設したほか、早くから最澄を後援して、高雄山寺での講演や灌頂を支援した。

▼**和気真綱**　七八三〜八四六。和気広世の弟。文章生から左近衛中将・右大弁をへて参議までのぼるも、法隆寺僧善愷訴訟事件で誣告され、失意のうちに没す。兄広世とともに最澄を後援したほか、八一二(弘仁三)年には、空海から最澄・弟仲世とともに金剛界灌頂を受け、晩年には、高雄山寺を空海に付嘱した。

▼**和気仲世**　七八四〜八五二。和気広世・真綱の弟。文章生から弾正大弼・勘解由長官・播磨守を歴任。兄真綱とともに空海から金剛界灌頂を受け、高雄山寺を空海に付嘱した。

されて、真言宗の重要拠点となっている。

かくしてようやく上京した空海だが、その上京にいち早く反応したのは最澄だった。朝廷に進上された空海の『御請来目録』をみていた最澄は、自身の密教とは比較にならない空海密教の概要を知っていた。天台遮那業が日本密教を担う部門たり続ける道は、空海密教を吸収する以外にないことは明白であった。かくして空海入京の一カ月後、最澄は、『大日経（だいにちきょう）』や梵字（ぼんじ）関係典籍を中心とする一二部五五巻の借用書写を申し入れる。両者の交流の始まりであった。

最澄としては、空海密教の大半をこうした密教典籍を通じて修得し、天台密教の遅れを解消していく予定だったのであろう。だがこうした方法が、遠からず破局を導くことになる。交流の始まった年の秋に、『十一面儀軌（ぎき）』を借用書写して十一面観音（かんのん）修法を行おうとした最澄は、空海から、儀軌の知識だけでは不可であることを告げられたらしい。典籍のみに依拠した密教修得について、早くも問題が指摘されたわけである。だが最澄としても、比叡山経蔵（きょうぞう）の充実のためにも、天台遮那業学生（がくしょう）指導のためにも、空海請来典籍は不可欠である。中途で借覧書写をやめることはできなかった。また空海としても、礼をつくし

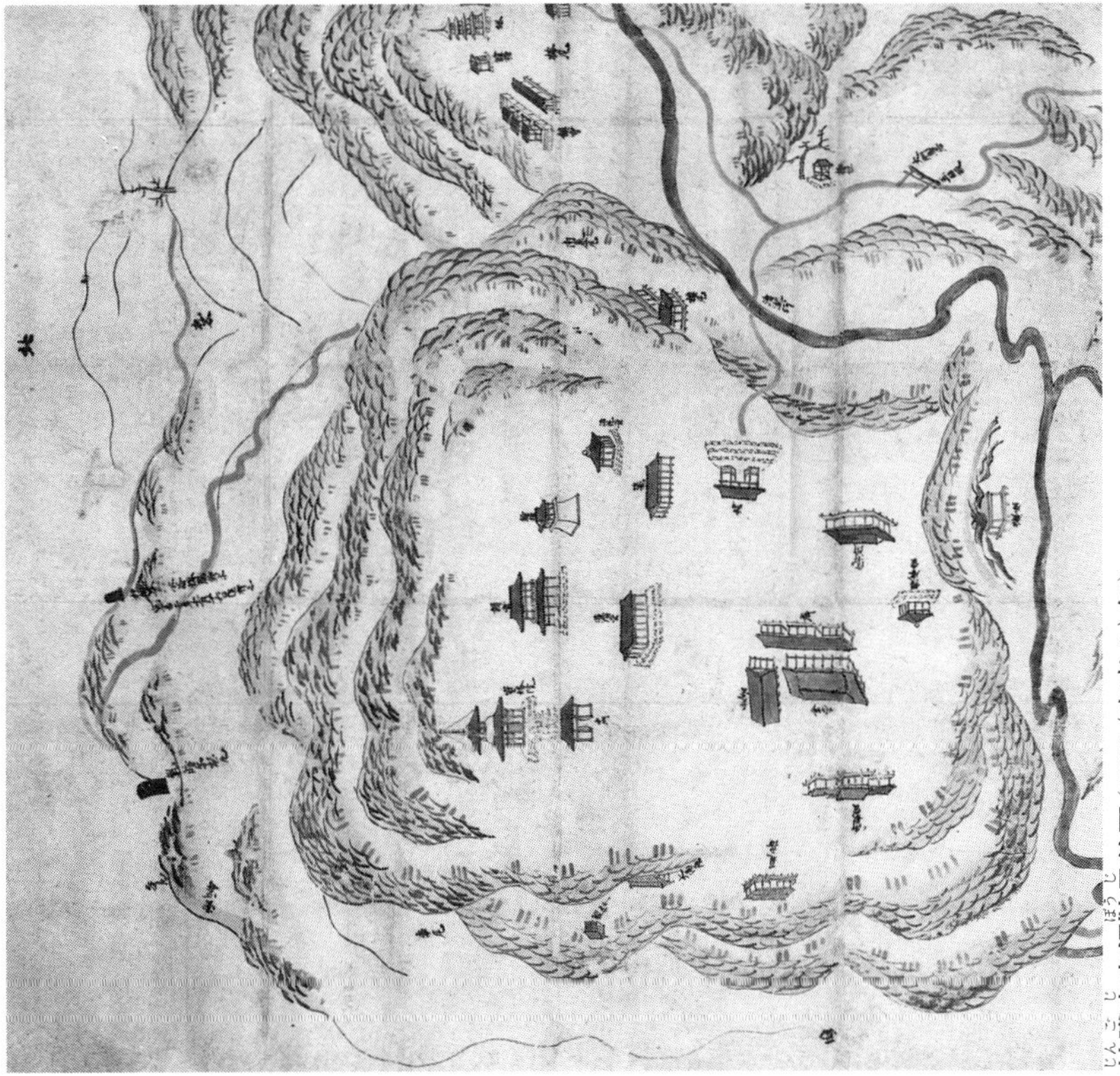

神護寺寺領牓示絵図（1230〈寛喜2〉年）

て密教修学を願い出た最澄の誠実さと、当時唯一の公的密教部門である天台遮那業の充実という目的を尊重して、不満はもちつつも貸出を続けたのである。

ただ最澄がなにより望んでいたのは、典籍借覧よりも、空海からの灌頂受法である。だが、これは密教法門伝授の核心であり、空海の許可は簡単にはおりなかった。ようやく一部が実現したのは、出会いから三年後のことである。

この間の八一〇(弘仁元)年、平城太上天皇の変▲(薬子の変)が起こっている。最澄や空海の近辺に直接影響がおよんだ形跡はないが、天皇家本体がゆさぶられ、太上天皇が処罰された国家の大事である。危機を乗り越えた嵯峨朝廷における、国家安泰を維持する呪力への需要は、いよいよ高まったであろう。こうして八一二(弘仁三)年十一月、最澄・和気真綱・和気仲世ら四人に金剛界灌頂が、同年十二月には、最澄・泰範▲・円澄▲・光定▲ら天台宗僧や南都僧そして全国の俗人約一九〇人に胎蔵界灌頂が授けられたのである。

この灌頂は、密教が日本仏教全体に流布するうえで重要な里程であったが、空海自身にとっても大きな転換点となった。八〇九年に入京を果たした空海は、嵯峨天皇から真言密教伝授の命を受けていた。だが当時、密教の第一人者とさ

▼平城太上天皇の変　八一〇(弘仁元)年、退位後、嵯峨天皇の朝政に干渉していた平城太上天皇が、再度即位のため挙兵した事件。坂上田村麻呂軍に阻止され、寵臣藤原仲成は射殺、寵姫薬子は自殺、太上天皇は出家した。

▼泰範　七七八〜八五八?。奈良時代末期〜平安時代初期の僧。初め元興寺にはいったが、のち最澄に師事。さらに空海から両部灌頂を受けて以後、空海門下となり、高野山開創に尽力。八三七(承和四)年の東寺定額僧設置にあたっては、その上首とされた。

▼円澄　七七二〜八三七。奈良時代末期〜平安時代初期の天台宗僧。第二代天台座主。初め東国の最澄の協力者道忠門下にはいり、比叡山に送られて最澄に師事。八一二(弘仁三)年の最澄遺書では、伝法座主とされ、空海からの真言密教修得にも尽力した。

れていたのは最澄である。自身の真言密教を前面にだす状況ではなかった。それが今や、自ら主役となって独自の真言密教灌頂を執行し、さらに加えて最澄を灌頂弟子としたのである。ここに空海は、名実ともに密教第一人者の地位を獲得することとなった。以後、空海在世中の日本密教は、彼を主導者として展開するのである。そしてその展開は、当面二つの方向で進むことになる。一つは、既述の最澄と弟子たちの密教修得、そしてもう一つは、空海自身の真言密教教団の形成であった。

交流の終り

まずは最澄の密教修得を追ってみよう。八一二(弘仁三)年に最澄が受けた金剛界・胎蔵界灌頂は、いずれも密教入門許可を意味する結縁灌頂か学法灌頂である。師匠たる伝法阿闍梨になるには、ここから本格的修学を積んで、最後に伝法灌頂を受けねばならない。それを知った最澄は、空海に速やかな伝法灌頂伝受を願い出るが、三年間空海に就いて修学することを求められ、自身での受法を断念する。かわりにとった方策は二つあった。一つは、弟子を空海のもと

▼**光定**　七七九～八五八。奈良時代末期～平安時代初期の天台宗僧。比叡山にのぼり、最澄に師事。義真にも学び、初の天台宗年分度者として得度。空海から真言密教を学んだのちは、大乗戒壇独立運動で南都や宮中との折衝役をつとめ、八二三(弘仁十四)年、初の大乗戒受戒者となった。

に送り、受法まで直接指導してもらうこと。そしてもう一つは、これまでどおりの密教典籍の借覧書写であった。

　結果的にこの方策は、どちらも成功しなかった。まず躓いたのは、以前から空海も問題視していた、典籍借覧による密教修学である。灌頂受法の翌八一三（弘仁四）年正月、最澄は、空海請来の一切経論書写のための借用を申し込んでいる。このとき最澄は、これが真言法門を盗むためのものではないと弁明している。典籍借覧についての空海の批判が、強くなっていたゆえの弁明であろう。

　そして通説ではこの年、両者が袂を分かつ契機となる事件が起きたとされる。八一三年十一月、最澄の『理趣経釈』借覧要請を、空海が拒絶したとされる事件である。通説は、日付を欠く空海の「叡山の澄法師理趣釈経を求むるに答うる書」を、弘仁四年十一月二十五日付の最澄から空海宛の『理趣経釈』等借用申入状への返信と解して、最澄の密教修学姿勢への不満が爆発した事件としてきた。だが「澄法師」を円澄とみる見解や、借用申入状にある『理趣経釈』を誤記とする見解もあり（高木一九九九、佐伯一九九八）、実態は不明である。ただこの事件がなかったとしても、この時期、両者のあいだに深刻な亀裂が生じていたことは疑えない。空海の典籍返却の督促は、これまでになく厳しくなっていた。そして八一四(弘仁五)年以降、両者が交わした書信は、最澄が借用典籍を返却した際の事務的書簡二通のみとなるのである。

最澄にしてみれば、受法が不可能となった以上、自身が密教を学ぶ方法は典籍借覧しかない。また天台法門と空海密教を等価とする彼の立場からすれば、天台法門と同じく典籍による密教修得は可能との認識もあった。だが遅々として返却の進まない状況や、空海に就いて修学するようすもない最澄の姿勢に、空海は不満と疑念をつのらせていた。如法(にょほう)な受法様態から逸脱したこの状況は、空海にとって許されることではなかった。最澄に時間的余裕があれば、三年間空海のもとで修学して伝法灌頂を受け、ともに日本密教を担っていく道もありえたかも知れない。だが日本天台宗自立を緊急要件としていた最澄に、そうした選択肢はなかったのである。

一方、弟子を空海のもとで学ばせる方策も、最澄の思惑と異なる結果を招くこととなる。八一二年の学法灌頂後、最澄が空海に託したのは、泰範・円澄・

光定といった面々である。彼らは、翌年二月から『法華儀軌』による一尊法を学んで受法し、三月には金剛界灌頂も受けている。この修学は、円澄自身が語っているように、相当難儀だったようである。それでも、このパイプが維持されていれば、最澄在世時に真言密教の吸収はかなり進んだであろう。だが問題は、思わぬところから生ずるのである。

空海のもとに送った弟子のなかで、最澄がもっとも期待していたのは泰範である。泰範は、八一〇(大同五)年に比叡山の一切を委ねられ、翌年には法華八講講師の要請も受けている。さらに八一二年には、遺言で最澄没後の比叡山惣別当に任ぜられている。同年に最澄とともに胎蔵界灌頂を受けたのも、そうした期待を背にしてのことであった。ただ泰範は、最澄門下では比較的新参の弟子だったらしい。それが最澄に重用されたことで、他の弟子とのあいだで軋轢を生じていた。泰範にとって比叡山は、居心地のよい場所ではなくなっていたのである。結局八一二年の遺言が記された前後には、最澄の懇請を振り切って離山している。そうした泰範が、高雄山に送られたのである。

そして泰範は、高雄山から比叡山に戻ることはなかった。八一三年、『法華儀軌』による一尊法受法に続けて再度の金剛界灌頂を受け、一応の役目を果たしたのち、円澄・光定は比叡山に帰った。だが泰範は帰らなかった。彼の顔は、すでに空海のほうを向いており、もはや最澄のところに帰るつもりはなかったのである。ここにいたって、弟子を空海のもとで学ばせる方策もゆきづまる。最澄そして天台宗の密教受法は、当面、道を閉ざされることとなったのである。

ただ泰範は、なお最澄の「同法」であった。それが破局を迎えるのは、八一六(弘仁七)年五月のことである。そしてそれは、最澄と空海の決裂をも意味した。このとき最澄は、久方ぶりに心情を吐露した書状を泰範に送り、比叡山帰山をうながした。そのなかで最澄は、「法華一乗(いちじょう)」と「真言一乗」の等価を説き、これを前提に衆生(しゅじょう)救済にともに励むことを呼びかけたのである。ところが返信したのは、泰範ではなく空海であった。いまや泰範の実質的師匠である空海としては、「法華一乗」と「真言一乗」の等価という最澄の主張を座視することはできなかったのである。返信で展開された反論は、以下のような厳しい内容であった。

真言教学は、真理そのものである法身仏(ほっしんぶつ)であり、自身のために法を説く自受(じじゅ)

用身仏である大日如来の教えである。一方、天台教学は、衆生救済のために法身から変化した応身仏であり、聴衆菩薩のために法を説く他受用身仏である釈迦如来の教えである。したがって、両者はけっして等価ではない。前者は「実教(真実の教え)」であるのに対し、後者は「権教(仮の教え)」である。

ここまでいわれたら、最澄としても諦めざるをえない。その後、最澄と泰範・空海は、顔をあわせることはなかった。泰範は、空海の弟子となって高野山開創に尽力したほか、のちにいわゆる十大弟子▲にも名を連ねている。最澄が頼むだけの人材だったのであろう。そしてこれ以後、最澄と空海は、それぞれ別の道をあゆみはじめる。最澄は、密教受法を弟子の代に託すことを決意する。そして、残る生涯のすべてを、天台宗自立のための活動—天台教学宣揚と大乗戒壇独立運動▲—に費やすのである。一方空海も、自身の真言密教定着に精力を集中していく。日本初の密教宗派真言宗の公認に向かって、活発に動きはじめるのである。

▼**十大弟子**　空海の弟子のうち伝法職位を授かった、真済・真雅・実慧・道雄・円朗・真如・杲隣・泰範・智泉・忠延をさす。八七八(元慶二)年、真雅が陽成天皇に奏上した『本朝真言宗伝法阿闍梨師資付法次第』にみえる。

▼**大乗戒壇独立運動**　天台宗僧だけを、東大寺戒壇で四分律戒を受戒する旧来制度の例外とし、比叡山で大乗戒を受戒する制度とする運動。天台宗年分度者が、受戒の際、南都に流れてしまう状況を受け、最澄が、八一九(弘仁十)年の六条式奏上から開始。最澄死没直後に勅許された。

⑤—真言宗創設そして入定

奈良密教と真言密教

天台遮那業をめぐる動向を見聞し、最澄とも交流するなかで、空海は、真言密教を日本に根づかせる際の障壁に気づいていた。その障壁とは、朝廷や仏教界の密教認識である。奈良密教は基本的に呪術であり、教義・教学はともなっていなかった。したがって、奈良密教しか知らない朝廷や南都仏教界にとって、密教とは呪術である。評価は高いものの、教義・教学を旗印とする教学宗派(南都六宗)とは、別種の存在と認識されていたのである。空海はそうしたなかに、はじめて教義・教学をともなう密教をもたらしたわけである。朝廷にしても南都にしても、そう簡単に理解できるはずもなかった。弘仁年間(八一〇〜八二四)中ごろには、最澄の論敵徳一から空海に、『真言宗未決文』▲といういかにも密教教義に不慣れな真言宗教義質問状が送られているくらいである。中国密教の修法は流布したものの、教義の理解は進んでいなかったのである。

こうした状況を打開して真言密教を根づかせるためには、奈良密教とは異な

▼**『真言宗未決文』**　法相宗徳一から空海に宛てた、即身成仏や法身説法など真言密教教義についての一一条の質問状。八一五〜八二一(弘仁六〜十二)年ごろ書かれたもので、空海は『秘密曼荼羅教付法伝』で、一部に回答している。

る体系的教義・教学をもつ法門であることを宣布し、教学宗派として認められることが不可欠であった。放置すれば、奈良密教と同じ単なる呪術とされてしまうからである。真言密教が最勝の特別な法門であると認知させることは、もちろん重要である。だが、この時期の空海においては、まず法門と認知させることが最優先だったのである。そして当時、法門と認知された証左は、南都諸宗や天台宗のように、年分度者を認められた公認教学宗派となることだった。師とあおいだ恵果そして不空は、中国で教学宗派を形成してはいなかった。だが、密教イコール呪術という既成観念を壊さねばならない空海としては、なんとしても真言宗公認を勝ちとる必要があったのである。

そのために、空海が最初にとったのは、密教教義を宣布し理解を浸透させるという正攻法であった。八一五(弘仁六)年には、帰国一〇年にして真言密教宣布の期が熟したと述べる『観縁疏』を著わして、真言密教主要経論三六巻の書写普及活動を始める。また同じころには、密教教義と顕教(旧来諸宗)教義との違いを説明して、密教こそが仏説の核心であることを宣揚した『弁顕密二教論』を著わしている。全仏教を顕教と密教に分け、密教を真実の深い教えとする空海の教判は、すでに『御請来目録』にみえている。ただこれを含め、法身説法・即身成仏・印契や梵語による受法といった真言密教の主要教義が、揃って提示されたのは、本書がはじめてである。その意味で本書は、以後さまざまな形で展開される、真言密教の要約であり目次であった。

　さらに本書は、真言密教教理について、南都六宗や天台宗の教理と同次元で、それら七宗と同種の教証を用いて説明している。密教についてこうした議論を展開すること自体、奈良仏教ではなかったことである。むろん本書の主題は、真言密教が最勝の法門であることを証明することである。ただそれ以前の問題として、真言密教が奈良密教のような単なる呪力発動技術ではなく、既存七宗同様の法門であることを宣言したものでもあった。こうした空海の意図は、本書に続いて、密教の成立と法脈を解説した『秘密曼荼羅教付法伝』が著わされているのをみるとき、さらに明確となる。

　こののち空海は、弘仁年間を中心に、真言宗において三部書として重視される『即身成仏義』『声字実相義』など、真言密教教義の核をなす著作をつぎつぎに著わしている。また八二三(弘仁十四)年には、真言密教の依拠経論を規定した

▼**『即身成仏義』**　一巻。八一五～八二四(弘仁六～天長元)年ごろの成立。『真言宗未決文』の即身成仏についての疑義への回答ともいわれる。即身成仏について、原理・実践の両面から可能であることが説明されている。

▼**『声字実相義』**　一巻。『即身成仏義』以後、『金剛頂経開題』以前の成立。音声や文字は、そのまま物事の真実体であり仏であることを説明したもので、未完成稿ともいわれる。

『真言宗所学経律論目録(三学録)』を奏上している。これらの著作も、教義の宣布とあわせて、真言密教が七宗同様の正統法門であると、認知せしめるのを目的としていたのである。

だが、これら正攻法の活動は、顕著な成果を上げなかった。八三〇(天長七)年ごろ成立の「天長六本宗書」をみるに、状況は『真言宗未決文』のころからさして変わっていないのである。「天長六本宗書」は、淳和天皇▲の命を受けて、法相・三論・華厳・律・天台・真言の六宗から提出された宗義書で、空海の『秘密曼荼羅十住心論▲』もその一つである。そのうち法相宗護命▲の『大乗法相研神章』と三論宗玄叡▲の『大乗三論大義鈔』には、他宗教義を概観した章がある。だが、そのなかで真言密教教義への言及は、前者にはまったくない。後者にも一カ所—徳一もふれていた法身説法批判—だけである。他宗教義と比べて、極端に少ない。八一五年以来の多くの著述活動にもかかわらず、真言密教教義は、認知もされず関心ももたれていなかったのである。相変わらず、奈良密教と変わらない、呪術次元のものと認識されていたのである(曾根二〇〇〇)。

結局、こうした正攻法の教義宣布活動は、空海在世中には、顕著な成果をお

▼**淳和天皇**　七八六〜八四〇。在位八二三〜八三三。桓武天皇の子。嵯峨天皇の異母弟。良吏登用、勘解由使再設置などの政治刷新を行う一方、『養老令』の注釈書『令義解』、百科事典『秘府略』、漢詩文集『経国集』などを完成させた。

▼**『秘密曼荼羅十住心論』**　一〇巻。八三〇(天長七)年の成立。本書の略本が『秘蔵宝鑰』。真言立宗の趣旨を開示した空海の主著。人間の心境地の次元を、最低の禽獣状態から最高の真言宗にいたる、一〇段階に分けて説明したもの。既存諸宗義と比較して、真言宗義の優越を説いた教判書でもある。

▼**護命**　七五〇〜八三四。奈良時代後期〜平安時代初期の法相宗僧。初め美濃国分寺の道興に師事。のち元興寺の万耀・勝悟に法相教学を学び、法相宗を代表する学匠として活躍、僧正までのぼった。また南都を代表して大乗戒壇に反

さめなかった。真言宗公認にも、あまり貢献はしなかったのである。貢献したのは、正攻法とあわせて展開された政治的活動—真言密教の呪力を誇示して、国家仏教に地歩を占めていく活動—だったのである。

真言宗公認

少しさかのぼるが、空海は、入京まもない八一〇(弘仁元)年の平城太上天皇の変に際し、国家のために修法を行うことを奏上している。素早い真言密教修法のアピールである。そして空海の手札は、修法だけではなかった。翌年には、乙訓寺別当に任ぜられている。その実務能力も、早くから認められていたのである。さらに八二一(弘仁十二)年には、讃岐国満濃池の修築別当に任ぜられ、現地民衆の協力をえて三カ月で修築をおえている。一世紀前の行基▲を彷彿させる活躍であった。空海自身が意識していたかは不明だが、これらの実績は、朝廷や仏教界の好意的姿勢を引きだすのに貢献したであろう。そしてこうした功績を背景に、八二三(弘仁十三)年、最初の灌頂道場(真言院)を東大寺に創設するのである。

対し、勅許されると一時僧綱を辞職した。

▼**玄叡**　?～八四〇。奈良時代後期～平安時代初期の三論宗僧。大安寺安澄に三論教学を学び、のち西大寺に住す。当時の三論宗を代表する学匠として、教学振興に活躍した。

▼**行基**　六六八～七四九。奈良時代前期の菩薩行実践僧。初め道昭・義淵に法相教学を学んだが、のち官寺をでて知識集団を組織、『僧尼令』に反して民衆教化や社会事業などの菩薩行実践を行った。晩年は、大仏造立に協力して勧進活動を推進、その功で大僧正にのぼった。

これは災厄を防ぐため、定期的に密教修法を行う場所である。こうした道場が官寺の筆頭東大寺におかれたことは、空海の修法が、公的に護国仏事の一翼を担うことになったことを意味する。ここに常住僧がおかれて真言宗教団の一角を担うのは、空海没後のことになる。だが読経が主役であった護国仏事において、密教修法がはじめて一角を占めた灌頂道場創設は、真言密教認知そして真言宗公認への重要な一歩であった。

ちなみに灌頂道場創設の四カ月後に最澄は没し、直後に、悲願の大乗戒壇が勅許されている。空海としても、さまざまな感慨をいだいたことであろう。そしてこれに刺激されてか、空海の活動はさらに活発化するのである。

八二三(弘仁十四)年には、「教王護国寺」と命名された平安京東寺を受領する。空海は、ここに真言宗僧五〇人を定額僧として常住させ、真言密教の拠点とした。実質的な真言宗教団の発足である。さらにこの年、前年の平城太上天皇に続き、嵯峨太上天皇に灌頂を授けたとされる。こうした歴代天皇との信頼関係を反映してか、八二五(天長二)年には講堂、相前後して灌頂院・五重塔建立が許され、東寺の経営は順調に進む。また空海自身も、八二七(天長四)年には、

東寺(京都市南区)

御七日御修法(『年中行事絵巻』部分)

内裏で祈雨法を修すなど、大車輪の活躍をみせている。これにともなって僧綱にも任ぜられ、最後は大僧都までのぼっている。

こうした国家仏教進出活動の仕上げが、八三四(承和元)年に勅許された、宮中真言院創建と御七日御修法創始であった。宮中真言院は、不空や恵果が奉仕した唐の内道場にならったものだが、これによって真言密教は、玄昉▲や道鏡が侍した既成の内道場と肩をならべて、天皇に近侍奉仕する拠点を獲得する。またそこで行われる定例の御七日御修法創設により、顕教最高の格式をもつ正月最勝会(御斎会)とならぶ密教仏事を主宰することとなった。宮中仏事において真言宗は、南都諸宗と対等となったわけである。

そしてこれらの積み重ねのうえに、翌八三五(承和二)年、空海は、東寺常住真言僧の効験と既存七宗の例を根拠に年分度者認可を要請し、ついに真言宗年分度者三人が公認される。自身は、二年前から高野山に隠棲しており、没する二カ月前のことであった。

だが真言宗が公認されたとき、その国家仏教における地位は不動となっていた。法脈継承においても、すでに杲隣▲・実慧▲らは、両部大法を受けて師匠たる

▼**玄昉**　?～七四六。奈良時代前期の法相宗僧。義淵に師事。入唐して中国法相宗第三祖智周に学び、経論五〇〇〇巻をともなって帰国。以後、看病に効験をあらわす一方、吉備真備とともに橘諸兄政権を支えたが、藤原広嗣の乱を誘発して失脚し、筑紫観世音寺に左遷。

▼**杲隣**　生没年不詳。奈良時代後期～平安時代初期の真言宗僧。初め東大寺にはいり諸宗教学を学んだが、のち空海に師事して両部大法を受法、八一三(弘仁四)年には高雄山寺の上座となった。空海没後は、京都修学寺や伊豆修善寺を創建した。

べき資格をえていたし、ほかにも十大弟子をはじめ、有能な弟子が育っていた。そして空海没後は、彼らがそれぞれ真言宗寺院を領して定額寺とし、さらに年分度者を獲得して、教団を順調に興隆させていく。日本真言宗の現実的基盤に関するかぎり、空海は、ほぼすべてを整えて没するのである。帰国から一九年後のことであった。

▼**実慧**　七八五〜八四七。平安時代初期の真言宗僧。初め大安寺泰基に学んだが、空海が帰朝後に最初の弟子となる。ついで両部大法を受法して、門下最初の阿闍梨となった。空海の筆頭弟子として信頼篤く、高野山開創を主導したほか、八三六(承和三)年には東寺長者となった。

空海の手法

以上、空海の後半生を最澄と比べてみると、個々の手順は円滑ながらも、全体としては随分遠回りのようにみえる。天台宗が公認されたのは、最澄帰国の翌年八〇六(大同元)年のことである。そして翌年分から、天台宗年分度者をだしている。その後、年分度者を南都諸宗に奪われる事態となり、八一四(弘仁五)年ごろから、南都との論戦を開始。八一六(同七)年からは、会津の法相学匠徳一と、足かけ六年にわたる三一権実論争を展開する。さらに八一八(弘仁九)年から八二二(同十三)年に没するまで、大乗戒壇独立の闘いが続くのは周知のとおりである。天台宗公認後の最澄は、ほとんど論争に明け暮れたといってよい。一方、空海は、激しい論戦や対立はなかったが、真言宗公認まで三〇年もかかっているのである。この差は、なにに由来するのだろうか。

一言でいえば、空海が、真言宗公認の時期よりも環境を優先したためであろう。つまり公認を急いで対立を生むよりは、仏教界や朝廷が、真言宗を抵抗なく受け入れる土壌形成を優先したのである。そしてこうした手法をとった理由は、一つには公認後の天台宗の苦境であろう。最澄の苦闘をみた空海が、その轍を踏むまいと考えたのは当然である。そしてもう一つは、さきにもふれた、密教教義認知の遅れという現実であった。

真言宗以前の公認七宗は、すべて南北朝(なんぼくちょう)から隋唐(ずいとう)の正統教義を奉ずる宗派である。そして日本国内でそうした正統教義・教学を奉ずる法門と認められていることが、宗派公認の前提なのである。最澄帰国後の天台宗公認が迅速だったのは、鑑真(がんじん)請来天台典籍の存在や入唐(にっとう)前の天台典籍講義によって、天台教義・教学が認知されており、正統法門とされていたからである。逆にそれらが認知されていなければ、奉ずる宗派の公認も実現しないわけである。そして真言密教教義・教学の認知は、進んでいなかったのである。

こうした状況を踏まえて、空海は、より現実的な方法をとることにしたのである。すなわち、まず修法による顕著な実績をあげて、真言密教は国家仏事で絶大な効験を発揮する、という認識を定着せしめる。またこの実績と絡めて、真言密教が法門としても既存他宗にまさることを宣揚し、認知せしめる。そのうえで、法門維持という大義名分を掲げて、宗派公認に漕ぎ着けるという段どりである。こうした方策をとった空海は、既存勢力との摩擦を、最小限におさえることに成功する。結果として、仏教界でも朝廷でも幅広い人脈をつちかい、十分に活用することもできたのである。

こうした堅実ながら遠回りの方法をとった結果、南都との関係においても、最澄と大きな差が生まれることとなった。さきにふれたように、最澄の晩年は、法相宗を中心とした南都学匠との対決・論争に費やされた。一方、空海にはそうした表立った対立はみえない。だが、最澄の対南都論争の主題が、南都（おもに法相宗）教義に対する天台教義の優位であるのと同じく、『弁顕密二教論』をはじめとする空海の著作の多くは、南都諸宗教義に対する密教教義の優位を説いたものである。代表作とされる『秘密曼荼羅十住心論』などは、既存諸宗教義をすべて取り上げて、真言密教教義の優越を説いた論なのである。ある意味、最澄の論書よりも、挑戦的内容なのである。にもかかわらず、南都から顕著な反論・反発はでていない。もちろん、さきの真言密教教義の認知不足や無関心が大きな要因であろう。ただ以下でみるように、空海がとった遠回りの方法も、結果的に影響しているのである。

最澄対南都の対立をみるに、その本質は、宗派同士の利害対立である。純教学次元の教義優劣論争ならば、こうした対立にはいたらない。天台宗も南都諸宗も、みな自宗教義を最勝として宗派を形成している。教義でいちいち対立していたら、仏教界は崩壊してしまう。それゆえ、同じ最澄の天台教義宣揚でも、純教学次元の宣揚であった入唐前の比叡山講演には、南都学匠も好意的に反応しているのである。ところが、最澄晩年の対南都論争には、大乗戒壇独立や地方教線維持をめぐる現実的利害対立が絡んでいた。このため南都としても、安易に流すわけにはいかなかったのである。

一方、空海の場合は、こうした利害対立は存在しない。真言宗年分度者が認可されるのは、没する二カ月前のことである。生前には、南都と競合するような宗派教団は存在していない。また本来都市型の仏教である真言密教は、最澄の東国布教のような活動を行っておらず、教線拡大による他宗との競合も存在しない。そうした空海教団に対しては、南都も、あえて事を構える必要はなかったのである。つまり、遠回りの堅実路線ならではの、友好関係だったわけである。

結果としてこの方法は、さきにみたように大きな成果をあげる。十分成功だったといえよう。ただ問題がなかったわけではない。空海の方法は、真言密教でもっとも一般受けする、修法の効験を前面にだすやり方である。理解されにくい教義・教学の宣布が、後回しになるのは避けられない。事実、空海の在世中には、密教教義・教学は仏教界に浸透することはなかった。南都仏教界にあたえた思想的影響からすれば、最澄の天台教義・教学のほうが、ずっと大きかったのである。

最澄没後の天台宗には、密教教学に限らず多くの課題が残されていた。だが弟子たちは、その課題を克服すべく、つぎつぎにあらたな展開を生み出していった。一方、空海がきわめて完成度の高い状態で遺した真言宗では、密教教学の発展や流布も停滞する。皮肉なことにこれらも、空海密教を追いかけた最澄の弟子たちが、主導していったのである。

仏教者空海の像

空海の一生を追っていくと、いくつもの空海像があらわれてくる。もっともポピュラーなのは、中国新密教の請来者にして、日本密教のパイオニアという空海像であろう。師匠恵果や不空と重なる造形だが、当時の仏教界や朝廷からみた空海像もこうしたものだったであろう。ただそれは通説のいうような、奈良密教とは別の新密教を請来して、日本密教を開いたパイオニアということではない。まったく新しい密教だったならば、法門と認知させるのも容易だったはずである。空海が行ったのは、奈良密教を継承しつつ中国密教の新要素を導入するという、断絶のない改革だった。だからこそ、奈良密教との差別化に苦労したのである。そして空海は、この難題を克服する。呪術のみであった日本密教に、中国仏教の新要素を注入して総合的仏教体系に再編し、国家仏教においても正統仏教法門に昇格させる。日本密教を改革して、今日まで続く姿に整備したのである。空海は、そのような改革者としてのパイオニアだったのである。そして、可能な改革をほぼなしおえて没した生涯を顧みるに、まことに自己完結したパイオニアだったといえよう。だが彼は、そうした像だけで括れる人物ではない。

もう一つ抽出できるのは、満濃池修築活動や綜芸種智院創設活動にみえる、菩薩行実践者という像である。満濃池修築などは、明らかに、菩薩行実践の先達行基にならったものである。また大和国益田池灌漑事業では、工事には直接関与していないが、八二五(天長二)年に碑文を撰している。こうした事業への、強い関心をうかがわせる行為である。また碑文と同時期には、身分を問わず理想的教育を提供する学校として、綜芸種智院を創設したとされる。史実とすれば、平等に教育を提供するという行為は、菩薩行の変型と考えられる。そして真言密教と直接関係のないこうした事績が伝えられていることは、これらの事業が、空海において重要な意味をもっていたことをものがたる。菩薩行実践者という像は、空海の重要な一面だったのである。

そしてさらにもう一つ、生涯を追うなかではふれなかったが、高野山との関係から抽出される空海像がある。高野山は、八一六(弘仁七)年、修禅道場として賜ることを嵯峨朝廷に上表して勅許されたものである。上表文などによれば、高野山は、若き日の遍歴修行でみつけた土地であり、ここに道場を建てることは、唐からの帰国船上で立てた誓願でもあった。

それ以前に、空海が経営関与した寺院や道場としては、東大寺や乙訓寺がある。ただ、いずれも朝廷の命によってかかわったものであり、空海みずからが望んだのは、高野山がはじめてである。そして勅許をえた翌年には、実慧・泰範を現地に派遣して開創準備にあたらせ、翌々年には、空海自身も高野山にのぼって禅院を設営している。かなりの肩入れである。そして空海は、この八葉蓮華▲の台に似た地に、人工的な曼荼羅世界を建設する予定であった。だが東大寺真言院や平安京東寺の経営、そして京中・宮中における修法等々に奔走するなかで、高野山の伽藍整備は容易に進まなかった。結局、空海在世時には、多くの伽藍は未完成に終る。それでも、八三四(承和元)年には、この地に隠棲している。まさに心の故郷だったのである。

さらにここで、晩年(八二四〈天長元〉年)に記された、

▼**八葉蓮華**　胎蔵界曼荼羅の中央、中台八葉院に位置する八弁の蓮華のことで、その中台と八葉には、大日如来はじめ九尊の仏菩薩が配されている。高野山の地形は八葉に似ていたので、中央に大塔を建てて八葉九尊を模ったのである。

私は二〇歳から五〇歳の現在にいたるまで、つねに山林を住処とし、禅定を心のあり様としてきた。（「少僧都を辞するの表」）

という述懐をあわせ考えるならば、背景にあったものがみえてくる。すなわち高野山への愛着は、終生変わらなかった山林等遍歴修行への愛着の反映だったのである。ちなみにこうした姿勢は、中国密教の不空・恵果が一貫して長安を中心に活動していたことと比べ、顕著な対照をなしている。これらからするに、空海の内奥は、入唐前はもちろん、帰国後も最後まで遍歴修行者だったのである。

中国密教を受法し帰国したのちも、空海の内面は変わらなかった。最新密教の阿闍梨という異国的・都会的風貌をまといつつも、奥底では、山林・懸崖を遍歴修行した若き日の心を保持し続けたのである。最初の著作『三教指帰』の山海修行者空海の姿は、最期まで彼の自画像であり続けた。そして高野山は、空海が心のなかで永遠に山林修行を続ける地だった。『御遺告』にみえる以下の言葉は、そうした心情を映したものだったのである。

お前たち弟子は、しっかり腰を落ち着けて教法を守れ。私は、永遠に高野

奥之院御廟橋から望む御廟

空海の埋葬(『弘法大師行状絵詞』部分)

山に帰ろうと思う。

　そしてこの空海像は、後世全国に流布する、弘法大師伝説の基本形となった。日本各地に伝説が分布する人物はほかにもあるが、空海伝説は、数においても範囲においても群をぬく。そして四国遍路などそのほとんどにおいて、空海は遍歴修行者――菩薩行を実践する遍歴修行者――として登場するのである。広く流布する空海伝説は、没後一五〇年ごろにあらわれる奥之院入定伝説▲からだが、貴族社会に流布するこの伝説も、高野山という山林修行霊場と不可分の形で成立している。人びとが生み出し流布させた伝説中の空海は、密教のパイオニアではなかった。空海自身の自画像でもある、遍歴修行者の姿をしていたのである。

▼**奥之院入定伝説**　空海は、八三五(承和二)年に没したのではなく、弥勒菩薩が五六億七〇〇〇万年後に下生するまで、高野山奥之院で禅定にはいって衆生をみまもっているとする伝説。もとは真言宗内の信仰に発するが、しだいに一般にも流布した。

日本仏教の形成

空海が生まれたのは、日本に仏教が伝来して約二五〇年後である。形だけの寺と、形だけの僧侶と、「仏という神」に祈る祭祀しかなかった日本の仏教は、すでに経典・僧侶・寺院・祭祀そして仏教界と国家仏教システムといった、ひととおりの装置を備えるにいたっていた。だが、古代東アジア仏教における基軸要素である教学宗派に関しては、なお整備途上にあった。日本諸宗では、正統教学が確立していなかったからである。

空海が生きた時代は、この最後の課題であった正統教学が、南都と天台宗・真言宗において確立し、仏教界と国家仏事を担う正統八宗が揃った時期であった。そしてこの動きをうながしたのが、空海そして最澄であった。彼らは、中国密教と天台教学という新しい仏教を導入して、新宗派を開いただけではない。確立途上にあった南都諸宗教学に刺激をあたえて完成をうながし、南都諸宗派の最終的整備を導いたのである。

ただ、すでに述べたように、影響関係のベクトルは、空海・最澄から南都側への一方向だったわけではない。最澄が天台教学に導かれたのは、南都における鑑真の遺産を通じてであった。空海が密教を志したのは、やはり南都における奈良密教の伝統があったからである。彼らと南都の全仏教界が共鳴しあう運動の結果、古代日本仏教の中核を構成する正統仏教が完成したのである。

これによって日本の仏教は、中国仏教、朝鮮仏教と肩をならべて、「日本仏教」と呼ばれるだけの内実を整える。東アジア仏教の正員たる「日本仏教」がスタートするのである。学界用語を使うならば、それは同時に、「顕密体制」という安定した正統仏教体制の成立を意味した。ただ、その「顕密体制」とは、創唱者黒田俊雄氏のいうような、すべての正統仏教を密教が覆うような体制ではなかった。

最澄・空海の時代における宗派間論争の活発化を承けて、南都諸宗は論義会という教学研究発表の法会や、それに適した問答体という著述形態を生み出していく。これは全八宗の取り入れるところとなり、真言教学・天台密教教学も、これにあわせる形で展開していくのである(上島一九九七・二〇〇二)。密教の南都への影響も重要だが、一方的に、密教が顕教（けんぎょう）教学や顕教諸宗を覆っていったわけではないのである。最澄・空海の活動に刺激されて成立した「顕密体制」という「日本仏教」は、顕教と密教、天台宗・真言宗と南都諸宗が影響しあいながら、双方の内実を充実・発展させていく体制だったのである。

写真所蔵・提供者一覧(敬称略, 五十音順)

アマナイメージズ　カバー表

一乗寺・奈良国立博物館　p.2

粉河寺・京都国立博物館　p.13

神護寺・京都国立博物館　p.57

総本山金剛峯寺　p.82上

田中家・中央公論新社　p.71下

東京国立博物館・Image:TNM Image Archives　p.35, 37

東寺(教王護国寺)・京都国立博物館　カバー裏, 扉, p.25, 41, 43, 82下

東寺(教王護国寺)・便利堂　p.71上

参考文献

阿部龍一「奈良期の密教の再検討」根本誠二・S.C.モース編『奈良仏教と在地社会』岩田書院, 2004年

岩崎日出男「密教の伝播と浸透」沖本克己・菅野博史編『新アジア仏教史07　中国Ⅱ隋唐　興隆・発展する仏教』佼成出版社, 2010年

上島享「平安初期仏教の再検討」『仏教史研究』第40巻第２号, 1997年

上島享「平安仏教　空海・最澄の時代」吉川真司編『日本の時代史５　平安京』吉川弘文館, 2002年

上田雄『遣唐使全航海』草思社, 2006年

勝又俊教『密教の日本的展開』春秋社, 1970年

勝又俊教『弘法大師の思想とその源流』山喜房仏書林, 1981年

上垣外憲一『空海と霊界めぐり伝説』(角川選書)角川書店, 2004年

櫛田良洪『空海の研究』山喜房仏書林, 1981年

佐伯有清『最澄と空海　交友の軌跡』吉川弘文館, 1998年

白井優子『空海伝説の形成と高野山』同成社, 1986年

鈴木景二「都鄙間交通と在地秩序」『日本史研究』379, 1994年

曾根正人『古代仏教界と王朝社会』吉川弘文館, 2000年

曾根正人「上代文学の仏教と上代の仏教」『上代文学』104, 2010年a

曾根正人「奈良仏教の展開」末木文美士・松尾剛次・佐藤弘夫・林淳・大久保良峻編『新アジア仏教史11　日本Ⅰ　日本仏教の礎』佼成出版社, 2010年b

薗田香融『平安仏教の研究』法蔵館, 1981年

高木訷元『空海　生涯とその周辺』吉川弘文館, 1997年

高木訷元『空海と最澄の手紙』法蔵館, 1999年

高木訷元・岡村圭真編『日本の名僧④　密教の聖者　空海』吉川弘文館, 2003年

武内孝善『弘法大師空海の研究』吉川弘文館, 2006年

武内孝善『弘法大師　伝承と史実　絵伝を読み解く』朱鷺書房, 2008年

立川武蔵・頼富本宏編『シリーズ密教３　中国密教』春秋社, 1999年

立川武蔵・頼富本宏編『シリーズ密教４　日本密教』春秋社, 2000年

東野治之『遣唐使』岩波新書, 2007年

藤井淳『空海の思想的展開の研究』トランスビュー, 2008年

正木晃『空海をめぐる　人物日本密教史』春秋社, 2008年

宮崎忍勝『私度僧空海』河出書房新社, 1991年

山折哲雄『空海の企て　密教儀礼と国のかたち』(角川選書)角川書店, 2008年

吉田一彦『民衆の古代史　『日本霊異記』に見るもう一つの古代』風媒社, 2006年a

吉田一彦『古代仏教をよみなおす』吉川弘文館, 2006年b

和田秀乗・高木訷元編『日本名僧論集第三巻　空海』吉川弘文館, 1982年

渡辺照宏・宮坂宥勝『沙門空海』筑摩書房, 1967年

815	弘仁6	42	***4-***『観縁疏』を著わし，全国に密教経典書写・流布を勧進。このころ，徳一より『真言宗未決文』送付
816	7	43	***5-*** 泰範にかわり最澄に返書(最澄と決別)。***6-19*** 高野山開創の上表，***7-8*** 勅許。***7-*** 大安寺勤操に，灌頂を授ける。***10-14*** 一説に，嵯峨天皇の病気平癒祈禱を修す。このころ，『弁顕密二教論』『秘密曼荼羅教付法伝』を著わす。以後，弘仁年間に『即身成仏義』『声字実相義』などを著わす。このころ，最澄と徳一の「三一権実論争」開始(～821年ころ)
817	8	44	この年，実慧・泰範を高野山に派遣し，開創に着手
818	9	45	***5-13*** 最澄『天台法華宗年分学生式(六条式)』奏上(大乗戒壇独立運動開始)。***11-*** 高野山に入り禅院を創設
819	10	46	このころ最澄，『顕戒論』を著わし僧綱の批判に反論
821	12	48	***5-27*** 讃岐国満濃池修築別当
822	13	49	***2-11*** 東大寺真言院創建。***6-4*** 最澄没。***6-11*** 比叡山大乗戒壇勅許。この年，平城太上天皇に灌頂を授ける
823	14	50	***1-19*** 東寺を賜る。***4-16*** 淳和天皇即位。***10-10***『真言宗所学経律論目録(三学録)』奏上，同日真言宗僧50人を東寺常額僧とする。***10-13*** 皇后院で息災法を修す。***12-23*** 清涼殿で大通方広法を修す。この年，一説に，嵯峨太上天皇に灌頂を授ける
824	天長元	51	***3-*** 少僧都。***9-27*** 高尾山寺を定額寺とし，神護国祚真言寺(神護寺)と改称する。この年，一説に，室生山を再興
827	4	54	***5-26*** 内裏で祈雨法を修す。***5-28*** 大僧都
828	5	55	***3-11*** 一説に，摂津大輪田造船瀬所別当。***4-13*** 大安寺勤操の一周忌法会で梵網経を講讃し，影像讃文を撰す。***12-15*** 綜芸種智院創設
829	6	56	***11-5*** 大安寺別当。この年，和気真綱・仲世らより神護国祚真言寺を付嘱される
830	7	57	この年，「天長六本宗書」撰上の勅を受け，『秘密曼荼羅十住心論』『秘蔵宝鑰』を著わす
831	8	58	***6-14*** 病気を理由に大僧都辞職を上表するも，不許可。***10-24*** 比叡山の円澄ら，真言密教の教授を請う
832	9	59	***1-14*** 淳和天皇の命で，宮中最勝会において南都大徳と論義。***8-22*** 高野山で万灯万華会を創始
833	10	60	***2-28*** 仁明天皇即位
834	承和元	61	***12-29*** 後七日御修法勅許。この年，高野山に隠棲
835	2	62	***1-23*** 真言宗年分度者勅許(真言宗公認)。***2-30*** 高野山金剛峰寺を定額寺とする。***3-21*** 高野山で没す
866	貞観8		この年，最澄に，「伝教大師」の諡号を賜る
921	延喜21		この年，「弘法大師」の諡号を賜る

空海とその時代

西暦	年号	齢	おもな事項
774	宝亀5	1	この年，父佐伯直田公，母阿刀氏女の三男として生まれる
781	天応元	8	***4-3*** 桓武天皇即位
784	延暦3	11	この年，長岡京遷都
785	4	12	***7-17*** 最澄，比叡山籠山『願文』を著す
788	7	15	このころ，母方の外舅阿刀大足に就いて儒学・史伝・文章などを学ぶ。この年，最澄，比叡山一乗止観院(根本中堂)創建
791	10	18	このころ，大学に入学し，一説に明経道学生として味酒浄成・岡田博士らに学ぶ。以後797年までに，一沙門から「虚空蔵求聞持法」を教示され，山海遍歴修行にはいる
794	13	21	この年，平安京遷都
797	16	24	***12-1***『聾瞽指帰』を著わす(のちに本文の字句や序を修正して『三教指帰』とする)。この年，最澄，内供奉十禅師
802	21	29	この年，最澄，高雄山寺で南都十大徳に天台教義講説
803	22	30	この年，一説に，東大寺で受戒(795年ないし804年とも)
804	23	31	***7-6*** 遣唐大使藤原葛野麻呂の第一船(最澄は第二船)で肥前国田浦を出港。***8-10*** 福州赤岸鎮に着岸。***12-23*** 長安に到着し，宣揚坊の官宅にはいる
805	24	32	***2-11*** 西明寺に移る。***4-*** 最澄，天台山からの帰路，越州で順暁から密教を受法。***5-*** 青龍寺恵果に師事。***6-*** 胎蔵界灌頂を受ける。***6-*** 最澄帰国。***7-*** 金剛界灌頂を受ける。***8-*** 伝法灌頂を受ける(灌頂名「遍照金剛」)。***9-*** 最澄，桓武天皇の勅により，高雄山寺で南都八大徳に日本初の灌頂を授ける。***12-15*** 恵果没
806	大同元	33	***1-17*** 故恵果の碑文を撰述。***1-*** 最澄の提案を受け，既存七宗を覆う新年分度者制創始(天台宗公認)。***5-18*** 平城天皇即位。***8-*** 遣唐判官高階遠成の船で明州を出港。***10-*** 帰朝して『御請来目録』を進上。以後，筑紫に滞留
809	4	36	***4-13*** 嵯峨天皇即位。これ以後，高雄山寺にはいる。***8-24*** 最澄から最初の経典借覧申入れ。***10-*** 嵯峨天皇の勅により，『世説新語』の屏風を書いて献上。以後嵯峨天皇に，しばしば書蹟を献上
810	弘仁元	37	***9-*** 平城太上天皇の変(薬子の変)。***10-*** 国家のため修法実施を奏上。この年，一説に，東大寺別当
811	2	38	この年から翌年まで，乙訓寺別当
812	3	39	***11-15*** 最澄らに金剛界灌頂を授ける。***12-14*** 最澄らに胎蔵界灌頂を授ける
813	4	40	***2-*** 最澄の弟子円澄・泰範らに法華儀軌一尊法を授ける。***3-6*** 円澄・泰範らに金剛界灌頂を授ける。この年，一説に，最澄からの『理趣経釈』借覧要請を断わる

曾根正人(そね まさと)
1955年生まれ
東京大学大学院人文科学研究科博士課程単位取得退学
専攻，日本古代仏教史
現在，就実大学名誉教授
主要著書
『古代仏教界と王朝社会』(吉川弘文館2000)
『聖徳太子と飛鳥仏教』(吉川弘文館2007)
『岩波講座日本歴史　第5巻　古代5』(共著，岩波書店2015)
『神仏融合の東アジア史』(共著，名古屋大学出版会2021)
『道慈』(吉川弘文館2022)

日本史リブレット人 012
空海(くうかい)
日本密教を改革した遍歴行者

2012年7月20日　1版1刷　発行
2025年8月29日　1版4刷　発行

著者：曾根正人(そねまさと)

発行者：野澤武史

発行所：株式会社 山川出版社

〒101－0047　東京都千代田区内神田1－13－13
電話 03(3293)8131(営業)
03(3293)8134(編集)
https://www.yamakawa.co.jp/

印刷所：信毎書籍印刷株式会社

製本所：株式会社 ブロケード

装幀：菊地信義

ISBN 978-4-634-54812-1

日本史リブレット人

1 卑弥呼と台与 ―― 仁藤敦史
2 倭の五王 ―― 森 公章
3 蘇我大臣家 ―― 佐藤長門
4 聖徳太子 ―― 大平 聡
5 天智天皇 ―― 須原祥二
6 天武天皇と持統天皇 ―― 義江明子
7 聖武天皇 ―― 寺崎保広
8 行基 ―― 鈴木景二
9 藤原不比等 ―― 坂上康俊
10 大伴家持 ―― 鐘江宏之
11 桓武天皇 ―― 西本昌弘
12 空海 ―― 曾根正人
13 円仁と円珍 ―― 河野保博
14 菅原道真 ―― 大隅清陽
15 藤原良房 ―― 今 正秀
16 宇多天皇と醍醐天皇 ―― 川尻秋生
17 平将門と藤原純友 ―― 下向井龍彦
18 空也と源信 ―― 岡野浩二
19 藤原道長 ―― 大津 透
20 清少納言と紫式部 ―― 丸山裕美子
21 後三条天皇 ―― 美川 圭
22 源義家 ―― 野口 実
23 奥州藤原三代 ―― 斉藤利男
24 後白河上皇 ―― 遠藤基郎
25 平清盛 ―― 上杉和彦
26 源頼朝 ―― 高橋典幸
27 重源と栄西 ―― 久野修義
28 法然 ―― 平 雅行
29 北条時政と北条政子 ―― 関 幸彦
30 藤原定家 ―― 五味文彦
31 後鳥羽上皇 ―― 杉橋隆夫
32 北条泰時 ―― 三田武繁
33 日蓮と一遍 ―― 佐々木馨
34 北条時宗と安達泰盛 ―― 福島金治
35 北条高時と金沢貞顕 ―― 永井 晋
36 足利尊氏と足利直義 ―― 山家浩樹
37 後醍醐天皇 ―― 本郷和人
38 北畠親房と今川了俊 ―― 近藤成一
39 足利義満 ―― 伊藤喜良
40 足利義政と日野富子 ―― 田端泰子
41 蓮如 ―― 神田千里
42 北条早雲 ―― 池上裕子
43 武田信玄と毛利元就 ―― 鴨川達夫
44 フランシスコ＝ザビエル ―― 浅見雅一
45 織田信長 ―― 藤田達生
46 徳川家康 ―― 藤井讓治
47 後水尾院と東福門院 ―― 山口和夫
48 徳川光圀 ―― 鈴木暎一
49 徳川綱吉 ―― 福田千鶴
50 渋川春海 ―― 林 淳
51 徳川吉宗 ―― 大石 学
52 田沼意次 ―― 深谷克己
53 遠山景元 ―― 藤田 覚
54 酒井抱一 ―― 玉蟲敏子
55 葛飾北斎 ―― 大久保純一
56 塙保己一 ―― 高埜利彦
57 伊能忠敬 ―― 星埜由尚
58 近藤重蔵と近藤富蔵 ―― 谷本晃久
59 二宮尊徳 ―― 舟橋明宏
60 平田篤胤と佐藤信淵 ―― 小野 将
61 大原幽学と飯岡助五郎 ―― 高橋 敏
62 ケンペルとシーボルト ―― 松井洋子
63 小林一茶 ―― 青木美智男
64 鶴屋南北 ―― 諏訪春雄
65 中山みき ―― 小澤 浩
66 勝小吉と勝海舟 ―― 大口勇次郎
67 坂本龍馬 ―― 井上 勲
68 土方歳三と榎本武揚 ―― 宮地正人
69 徳川慶喜 ―― 松尾正人
70 木戸孝允 ―― 一坂太郎
71 西郷隆盛 ―― 徳永和喜
72 大久保利通 ―― 佐々木克
73 明治天皇と昭憲皇太后 ―― 佐々木隆
74 岩倉具視 ―― 坂本一登
75 後藤象二郎 ―― 村瀬信一
76 福澤諭吉と大隈重信 ―― 池田勇太
77 伊藤博文と山県有朋 ―― 西川 誠
78 井上馨 ―― 神山恒雄
79 河野広中と田中正造 ―― 飯塚 彬
80 尚泰 ―― 川畑 恵
81 森有礼と内村鑑三 ―― 狐塚裕子
82 重野安繹と久米邦武 ―― 松沢裕作
83 徳富蘇峰 ―― 中野目徹
84 岡倉天心と大川周明 ―― 塩出浩之
85 渋沢栄一 ―― 井上 潤
86 三野村利左衛門と益田孝 ―― 森田貴子
87 ボワソナード ―― 池田眞朗
88 島地黙雷 ―― 山口輝臣
89 児玉源太郎 ―― 大澤博明
90 西園寺公望 ―― 永井 和
91 桂太郎と森鷗外 ―― 荒木康彦
92 高峰譲吉と豊田佐吉 ―― 鈴木 淳
93 平塚らいてう ―― 差波亜紀子
94 原敬 ―― 季武嘉也
95 美濃部達吉と吉野作造 ―― 古川江里子
96 斎藤実 ―― 小林和幸
97 田中義一 ―― 加藤陽子
98 松岡洋右 ―― 田浦雅徳
99 溥儀 ―― 塚瀬 進
100 東条英機 ―― 古川隆久

〈白ヌキ数字は既刊〉